KB096398

기억에 남는
한국 영화 50선

차례

머리말

머리말

1988년 서울 올림픽이 개최되었다.

"손에 손잡고 벽을 넘어서"

살벌한 전두환 군사 독재 시대였다. 돌이켜 생각해
보면, 사춘기 중학생에게 군사 정권이 펼친 3S 정책
은 큰 혜택이었다. 일명 스포츠(sports), 스크린
(screen), 섹스(sex)는 사춘기 중학생에게는 더 할
나위 없는 호기심 천국을 불러 일으켰다. 정치적인
논란을 뒤로 하고 오직 개인적인 취미 성향으로 하는
말이다. 당시 영화를 좋아했던 까까머리 중학생은
한국 에로 영화에 눈을 안 돌릴 수가 없었다.<산딸
기>(1987), <애마부인>(1982), <뽕>(1985) 시리즈가 모두
그때 나왔다. 사춘기 중학생 눈으로는 본 그 영화들
은 지금 포로노 야동보다 더 충격적이고 흥분시켰지
만 사실 뭐 보이는 것이라고는 비에 젖은 실루엣과
젖가슴 정도였다.

남녀 정사 관계 장면에선 꼭 장작불이 불타오르고,
맑은 하늘이 갑자기 먹구름이 몰려와 비가 내리고
그러면서 화면 전환이 되어 오직 당신의 상상력에

맡겼으니 말이다.

사실 <에로영화>를 먼저 적극적으로 좋아한 것이 아니라, <록키>와 <람보> <로보캅> <탑건> <영웅본색>을 보러 갔다가 2편 동시 상영을 하는 바람에 어쩔 수 없이 보게 된 것이다. 주머니 사정이 넉넉지 않던 가난했던 중, 고등학교 시절 단돈 500원에 대형 스크린으로 동시에 두 편 영화를 본다는 것이 지금 돌이켜 보면 축복이고 행운이었다.

영화 <친구>에서 잠시 나온 부산 범일동에 위치했던 <보림극장> <삼성극장> <삼일극장>이 그런 무대였다. 당시 각 가정마다 비디오 플레이어가 보급되기 시작했지만, 영화는 역시 극장에서 큰 화면으로 봐야 영화 좀 봤다고 자랑하던 당시였다. 물론 매주 토요일 저녁이면 MBC <주말의 영화>를 보고, 일요일이면 KBS <명화 극장>을 꼭 챙겨 보고, 명절이면 <특선영화>를 시간대별로 메모하면서 밤잠 설치며 봤던 사춘기 시절 나로서는 이유를 알 수 없는 영화에 대한 호기심과 열정이 존재했었다.

세월이 흐르고 흘러 이제 어느덧 중년의 나이가 되었다. 나도 나이 들었지만, 그 시절 배우들도 모두 얼굴에 주름살이 하나둘 늘고 심지어 고인(故人)이 되었다. 거울을 보면서 스크린을 보면서도 나와 영화 주인공들이 함께 늙어간다는 사실이 안타까울 지경이다.

그러다가 문득 그동안 내가 본 영화들 중에서 혼자서 남긴 메모를 정리하고 싶은 마음이 생겼다. 내가 본 것도 기억이 가물해지고, 주인공, 감독 이름이 헷갈리기 시작하는 시기가 된 것이다. 더 늦기 전에 한국 영화 100편 정도는 소장하고 싶다. 종이책으로 말이다. 일상생활에서 나를 아는 주위사람들이 그렇게 영화를 좋아하는데, 인생 영화가 무엇인지 물어왔을 때 단 한 편을 추천하기가 사실상 불가능하다. 과거 1980년대 추억 깃든 영화가 인생 영화 일 수도 있고, 오늘 상영하는 최신 영화가 그럴 수도 있다. 그래서 난 대부분 상대방의 취향에 맞춰 추천을 한다. 가령 연령이 조금 있으신 분들에게는 <시네마천국>(1988)이나 <인생은 아름다워>(1998) 같은 누가 추천해도 명작인 영화들인 영화를 말하기도 한다. 젊은 여성에게는 오히려 추천 영화를 말하기가 더 어렵다. <슬램덩크>(2022)를 좋아할 수도 있고, <기생충>(2019)을 좋아할 수도 있으니 말이다. 젊은 남성들은 <탑건>(2022)으로 충분하지 않을까? 물론 모두 좋은 명작이고 누군가에게는 인생 영화들이다.

감동적인 영화라고 무조건 추천할 수도 없다. 이래저래 감동 눈물을 한없이 많이 흘리는 나로서는 애

니메이션을 봐도 가슴 저린 진심의 뜨거운 눈물을 흘리니까 말이다. 가령 <토이 스토리4>를 보고, '우디''버즈'등 장난감들과 헤어져 안타까워하는 주인공과 함께 초등학생 모르게 슬쩍 눈물을 훔친다.

하여튼 이 책은 내가 보고 기록한 많는 영화 메모중에서 <한국 영화 100편>을 모았다. 그동안에도 영화들이 계속 상영되고 또 감동받고 해서 더 늘어날 지경이었지만, 일단 현재까지 본 영화와 배우 중심으로 생각했다.

이 책을 통해 배우들의 명대사를 자신도 모르게 적재적소(適材適所)에 슬쩍 내 뱉을 때, 대화 기술과 인간관계의 윤활유가 될 터이니, 한 줄 대사쯤은 암기해도 좋을 듯 싶기도 하다.

혹시나 이 책을 읽는 분들 중 영화를 좋아하신다면 이 정도 한국 영화는 꼭 봐주어야 아니 이미 봤어야지 어디에서도 영화 좀 봤다는 시네필 맘으로 빵구를 낄 수 있지 않을까? ㅎㅎㅎ

1. 클래식

"너에게 난 해 질 녘 노을처럼,
 한편의 아름다운 추억이 되고."

듣자마자 저절로 흥얼거리는 익숙한 멜로디는 영
화 <클래식>에 삽입된 OST로 저 때부터 지금까

지 스마트폰 컬러링(color ring)으로 사용 중이다. 황순원 작가 <소나기>를 연상케하는 풋풋한 엄마 주희의 첫사랑과 대학생 오빠를 사랑하는 현재의 지혜를 연기한 1인 2역 '손예진'은 지금도 아름답지만 그때는 더 아름답다.

왜 첫사랑은 항상 가슴 시린 이별로 마무리될까? 실제 20살 풋풋한 나이로 연기한 '조승우'와 '손예진'의 모습이 너무 예쁘다. 귀신 나온다는 폐가에 공포 체험으로 찾아가기 위해 강에서 나룻배 올라 노를 젓는 모습은 오래전 강원도 춘천 호반호에서 내 첫사랑 그녀와 오리 배를 탔던 추억이 떠올려졌다. 호수 한가운데에서 하필 소나기를 만났던 나의 모습과 오버랩(overlap) 되어 추억에 잠시 잠겼다. 소나기는 항상 그 결정적인 순간에 내리는 이유가 무엇일까? 파란 호수 한가운데에서 우왕좌왕했던 나의 어린 시절 당황했던 순간이 떠올랐다.

지금까지 반전 영화 중 최고로 회자되는 <유주얼 서스펙트(The Usual Suspects, 1996)><식스 센스(The Sixth Sense, 1999)>가 있지만, 이 영화 <클래식>도 사전 정보 없이 보다가 훅 들어오는 가슴 저린 반전에 눈물 샘이 펑하고 터진다.

그녀와 헤어진 후에 준하(조승우)는 고등학교 같은 반 짝꿍 태수(이기우)와 정략 결혼을 해야 하는 상대방에게 사랑의 편지를 대필해 주었는데, 알고 보니 그녀는 비 오는 날 헤어진 '주희'였다. 주희가 몰라주는 비록 대필 편지였지만, 준하는 마음을 한껏 담아 그녀에게 편지를 적었다.

이 장면을 보면서 실제 군대 생활하면서 고참 연애편지를 썼던 내 기억도 떠올랐다. 당시 내무반에서 유일한 대학생이었던 나에게 시골 벼농사 짓다가 입대한 얼굴 크기 같은 손을 가졌던 그 고참은 나의 작문 능력을 과대평가하여 짝사랑하던 고향 그녀에게 보낼 편지를 부탁했었다. 난 진심을 담아 예쁜 글씨체와 어디서 주워들은 낭만적인 말들로 마치 나의 연인에게 대하듯 손 편지를 적어주었다.

덕분에 조금 편한 내무반 생활을 시작했었다. 특히 답장이 도착한 날에는 말이다. 고참 제대 이후 후기를 알 수 없으나, 아마도 상상 속 편지 애인과 실제 현실 만남 대화는 많이 다르지 않았을까 싶다.

현재의 지혜는 대학 캠퍼스를 지나다가 갑작스러운 소나기 오는 날 상민(조인성) 오빠의 도움으로 그의 점퍼를 쓴 채 뛰어가야 하는데 알고 보니 미리 계획되었던 상민의 빅 픽쳐.

누구에게나 첫사랑이 아련한 추억인 까닭은 이루어지지 못한 순수한 사랑 때문이 아닐까? <건축학

개론>(2012)으로 미쓰 에이 가수 '수지'가 국민 첫 사랑 배우 '수지'가 되었고, <번지 점프를 하다>(2001)에서는 서인우(이병헌)가 첫사랑 태희(이은주)와 이별한 뒤에 다시 환생한 그(?)와 재회한다. <엽기적인 그녀>(2001)에서도 그녀(전지현)는 산에 올라 '견우야'를 외치면서 잘 지내라고 한다. 모두 첫사랑 이야기다. 진심 사랑했다면 이별한 후에 그리워하는 것은 모든 사람의 공통된 감정이다.

곽재용 감독은 이 영화로 한국 멜로 영화 레전드를 만들었다. 김광석 노래 <너무 아픈 사랑은 사랑이 아니었음을>이 배경 OST로 흘러나오며 영화 마지막 장면 카페에서 주희와 준하의 만남 장면은 어깨를 들썩일 정도로 눈물을 펑펑 흘렸다.

"네가 준 목걸이를 지키기 위해..."

곽 감독은 <비 오는 날의 수채화>(1990),<엽기적인 그녀>(2001), <중독>(2002), <내 여자친구를 소개합니다>(2004), <해피 뉴이어>(2021)등 멜로 영화를 특히 잘 연출하는 분인 것 같다.

배우 조승우가 <클래식>의 풋풋한 모습에서 중년? 아니 청년이 된 미래의 외모는 어떨까? 그는 영화 <내부자들>에서 날카롭고 정의로운 검사가 되었다. 정의 사회를 구현하기 위해 불의에 맞서는 검사.

"너 나하고 영화 하나 찍자."

-내부자들 中(안상구(이병헌))

#클래식 #손예진 #조승우 #조인성 #2003년 곽재용 감독

2. 내부자들

"모히또 가서. 몰디브 한잔 할까?"

오른손모가지를 360도 돌리면서, 기자 회견하는 전직 조폭 안상구(이병헌)와 연줄도 빽도 하나없는 신입 막내 우장훈(조승우)검사. 이 둘이 대한민국 썩어빠진 부패 뿌리를 뽑기 위해 고군분투(孤軍奮

鬪)하기로 의기투합했다. 거대 언론사 주필 이강희(백윤식)는 국민을 개, 돼지로 취급하는 듯 묘사하며, 부패한 정치인 장필우(이경영)는 대통령이 되려 하고, 재벌 자동차 회장 오현수(김홍파)는 비자금을 이용해 정치권과 언론에 줄을 대면서 대기업 경영을 한다.

'이게 과연 영화인가? 현실인가?'

비밀 요정파티 성 접대부까지 뒷바라지하던 상구는 그가 주제 모르고 기어오른다며 저들로부터 버림받고 심지어 쇠톱으로 손목까지 절단당하고 만다. 이후 나이트클럽에서 자양강장제 박카스를 강매하면서 조용히 숨어 훗날을 도모하는 처량한 형편이지만 그마저도 철저한 감시와 도청을 당한다. 비밀 요정에서 펼치는 음란 행각 중 꼬탄주는 정말 잊을 수 없다.

"웃 차."

나이트클럽 장면에서 1990년대 실제 박카스 강매를 당한 분들이라면 크게 공감했을 것이다. 저걸 연기하는 '이병헌'을 보니 새삼스럽다. 그때 친구들과 나이트클럽에 가서 잠시 화장실 갈 때면 일

행들이 충고했었다.

"절대 화장실 입구에서 주는 박카스 받아먹지 마라. 만원 줘야 한다."

억울한 상구는 우은혜(이엘)를 이용해서 복수를 꿈꾸는데..

"너 나하고 영화 하나 찍자. 복수 영화."

이병헌 연기는 정말 상상 초월이다. 건물 옥상에서 라면 안주에 소주를 종이컵으로 먹다가 뜨거워 뱉어내는 장면과 우상훈의 아지트 시골집에서 삼겹살을 먹는 장면은 그냥 생활인이다. 특히 모텔에서 살색 엉덩이를 비추면서 변을 보는 장면도 연기인지 실제인지 헷갈릴 정도로 리얼하다. 특히 똥(변)을 누는 장면은 영화 <백두산>(2019)에서도 <광해>에도 나온다.

'정치에 관심없다'고 하지 말라. 정치는 우리 생활과 그리 멀지 않다. 잘못된 지도자를 경험 해 보기 전에 관심을 가져야 한다.

영화 <내부자들>은 그냥 재미로 보기에는 너무 현실적이다. 독재 시대나 민주 시대나 같은 사건 사고가 반복되고 있다. 여전히 정치인은 기업인과

줄을 대고 있고, 사라져야 할 조폭들이 아직도 길거리 패싸움을 벌인다. 당신은 정치인과 언론인들이 아무런 관련이 없어 보이는가? 현실 유력 정치인들 중에 언론인 출신이 얼마나 많은지 아는가? 조국일보 이강희 주필은 진실된 기사를 써야 함에도 자신의 사리사욕(私利私慾)을 위해 신문 사설을 이용한다.

"국민들은 개 돼지다."

저 말은 실제 고위 교육 공무원 누군가가 한 말이다. 실명을 차마 거론할 수 없으니, 검색해 보시라. 다 응징하고 처벌해야 하는데, 아마도 복직되지 않았을까?
영화 <내부자들>이 아직도 현재진행 중인 증거다. 어쩌면 현실이 영화보다 더 하지 않았을까? 우민호 감독은 <마약왕>(2018), <남산의 부장들>(2020), <하얼빈>(2023)처럼 선이 굵은 한국 정치, 현대사회의 문제를 잘 다루는 것 같다.
'이병헌' 연기에 푹 빠졌다면, 잠시나마 임금 자리에 올라 진정으로 백성을 위한 정치를 했던 <광해>를 보자. 광기와 코믹을 넘나드는 신의 연기를 볼 수 있다. 이제 보니, <광해>에서는 수 십명 궁녀들이 보는 앞에서 매화틀에 '변'을 보는 장면이

나오는구먼.

"히히힛 왜 웃지 않소."

-광해 中(이병헌)

#내부자들 #이병헌 #백윤식 #이경영 #조우진
#2015년 우민호 감독

3. 광해

"따라 해 보거라. 걔 아무도 없느냐?"

영화 <광해>는 암살 위험으로부터 아무도 믿지 못하는 궁궐에서 영의정 '허균'으로 하여금 자신(광해)의 대역을 찾아내 세우고 잠시 비운 조선왕조실록의 빈 페이지를 모티브로 한다.

저작거리 천민 광대 하선(이병헌)을 돈으로 유혹하여 왕의 자리에 며칠 앉혀 그를 대신한다. 그는 광해군다. 살짝 '왕자와 거지'에서 스토리를 빌려왔나 싶기도 하다. 물론 허구이고 상상이다. 광해군은 대동법(大同法)을 시행하고, 명나라에 할 말은 하는 왕으로 묘사된다. 백성을 진정으로 생각하는 마음을 본 허균(류승룡)도 잠시 감동하기도 한다. 결내 억지로 끌려온 것인지 팔려온 것인지 억울한 사연을 간직한 궁녀 '사월'의 사연을 듣다가 울분을 못 참고 "이런 시발"을 무의식중에 외치는 인간적인 면모를 가진 왕이다. 후반부에 궁녀 사월은 독살 명령을 받고도 자신의 처지를 진정으로 이해해 주었던 광해를 위해 독극물을 직접 삼켜 스스로 목숨까지 버린다.

조선 15대 임금 광해군은 인조반정으로 쫓겨났다. 어쩌면 임진왜란이 아니었으면, 그가 왕이 되기나 했을까 싶다. 조선시대 임금 중 가장 찌질한 임금인 '선조'로부터 시작된 붕당정치가 이때 가장 절정이었고 그는 피해자인지도 모른다.

'광해'는 왕비의 오빠로서 역적 음모에 몰린 박충서를 구해야 하고, 폐위시키라는 신하들의 요구로부터 중전도 구해야 하고, 탐관오리로부터 세금 수탈당하는 백성들도 구해야 하고, 정적 신하들로부터 본인의 목숨도 보전해야 한다. 보는 관객들로 하여금 동정심마저 들게 된다.

'이병헌'은 원초적인 연기의 신이라고 생각한다. 영화 <광해>에서도 초반에 등장한 매화틀 씬은 영화 <내부자들>의 모텔 화장실 씬과 더불어 강한 임팩트를 준다. 두 장면 모두 대본에 실제 하는지 궁금하다. 어떤 연기자도 감히 흉내 내지도 못할 장면이다. 그의 영화는 꼭 한 장면씩 원초적인 모습을 담은 것 같다.

추창민 감독은 <마파도>(2005), <7년의 밤>(2018)을 연출했다. 이왕 영화 <광해>를 보았다면 사극에 잠시 푹 빠져보자. 조선시대를 관통해보자. <남한산성>(2017), <명량>(2014), <한산>(2022), <나랏말싸미>(2019), <천문-하늘에 묻는다> (2018), <역린>(2014)이 있지만, 조선시대 아니 전체 역사를 통틀어 임금과 자식 사이의 가장 비극적인 관계 파탄을 그린 '송강호' '유아인' 주연의 <사도>를 보자.

"자식이 아비한테 물 한 잔도 드릴 수 없습니까?"
-사도세자 中(정조(소지섭))

#광해(왕이 된 남자) #이병헌 #류승룡 #2012년 추창민 감독

4. 사도

"전 아버지의 따뜻한 눈길 한 번이 그리웠습니다. 따뜻한 말 한마디가 듣고 싶었습니다."

아무리 비정한 아버지라도 하나뿐인 자식을 뒤주에 갇혀 굶겨 죽일 수가 있는가? 영조(송강호)가 뒤주에 갇힌 세자(유아인)에게서 들은 마지막 유언 같은 말이다. 세자는 어릴 적에는 너무 총명해서 영조의 사랑을 듬뿍 받았다. 늦게 얻는 자식이 얼마나 귀여웠을까? 어쩌면 기대가 너무 컸던 탓일까? 점점 커가면서 학문보다 무(武)에 소질을 보

이기 시작하는 세자를 보면서 작은 실수에도 영조
는 크게 혼을 내었다.

사실 영조는 태생적으로 콤플렉스를 가지고 있었
다. 친모가 무수리 출신이었고, 선대 경종을 독살
했다는 의심으로 말이다.

누구에게나 콤플렉스가 존재한다. 그것을 극복하
느냐에 따라서 자신의 삶이 크게 달라진다. 콤플
렉스를 이겨낸 사례는 일일이 열거할 필요도 없이
무수하다.

가령 '에이브함 링컨(Abraham Lincoln,(1809 ~ 1865))'
은 어린 시절서부터 우울증을 심하게 앓았지만,
독서를 통해서 극복했다고 했으며, '윈스턴 처칠
(Winston Churchill(1874~1965))'도 왕따와 외모
로 따돌림 당했지만 유머 감각을 익혀 승화 시켰다
고 한다. '베토벤(Ludwig van Beethoven(1770~1827))'은
음악가로서 가장 불행한 귀머거리가 되었지만, 위
대한 교향곡을 작곡하지 않았는가?

"사람이 한번 싫어지거나 미워하게 되면 모든 것
 들이 꼴 보기 싫을 것이다."

영조는 작은 실수에도 사도세자를 용서치 않았고
틈만 나면 양위(讓位)를 외쳐 사도세자로 하여금
석고대죄(席藁待罪)를 하게 만들었다. 대리청정을

하면서도 모든 대소사에 사사건건 트집을 잡았으니 사도세자가 아니 엇나가고 조현병이 안 생길 수가 없는 형국을 만들었다.

지금 시각으로 보자면, 꼰대 짓의 최고 왕이 아니던가? 만약 사도세자가 독자가 아니었다면, 진작 폐위되었다면, 오히려 전국을 떠돌아다니면서 더 행복하게 살지 않았을까? 그래도 손자인 훗날 정조가 있기에 역모로 벌을 할 수가 없었다. 사도세자를 역모로 벌한다는 것은 손자까지 연좌제로 같이 죽여야 하니 말이다. 오직 뒤주에 갇혀 스스로 죽기를 바란 영조였다. 당시 집권세력인 소론에게도 책임을 묻고 싶다. 정조가 왕이 되었을 때 가장 긴장한 세력이 그들이고 보면 왜 영조를 말리거나, 멈추도록 행동하지 않고 수수방관했는지 말이다.

"넌 존재 자체가 역모야."

사도세자를 다룬 많은 드라마와 영화들이 영조가 왜 그런 역사에 남을 짓을 했는지 각자의 시각으로 분석한다. 너무 어릴 적 친모와 헤어져 유모에게서 자란 사도세자였고, 10세에 결혼하여 오로지 홀로 외롭게 성장했어야 할 사춘기 시절. 어머니의 사랑도 아버지의 사랑도 못 받은 탓인가? 그가 허공에 활을 쏘는 모습을 보면서 인생의 허무함이 엿보였다.

도대체 왜 하필 어둡고 좁디좁은 뒤주에 그를 가두었을까? 8일 뒤에 발견한 그는 무릎과 다리가 펴지지도 않았다고 하니, 그 고통은 차마...

이준익 감독은 사극 영화 연출로는 대한민국 최고다. <황산벌>(2003), <라디오 스타>(2006), <님은 먼곳에>(2008), <구르믈 버서난 달처럼>(2010), <평양성>(2011),<동주>(2016),<박열>(2017),<자산어보>(2021)등을 연출했다. 사극 드라마에선 안 어울릴 것 같은 미소년 도시남 이미지로 보였지만, 영화<사도>에서 신들인 '유아인'의 연기는 봐도 봐도 감탄스럽다. 어쩌면 사랑이 부족한 갈구한 성장 시절을 보낸 사도세자를 다룬 영화.

시대와 상황은 다르지만, 부모의 사랑을 받지 못한 가난한 다문화 가정에서 자란 <완득이>를 만나보자. 사춘기 청년의 방황과 성장기를 엿 볼 수 있다.

"야 완득아. 야 임마 도완득."

-담임(김윤석)

#사도 #송강호 #유아인 #2015년 이준익 감독

5. 완득이

"한번 안아보고 싶어요."

어릴 적 사랑하는 아들과 어쩔 수 없이 헤어진 엄
마는 아들이 얼마나 보고 싶었고 단 한 번이라도
안아 보길 바랬을까? 필리핀 엄마라서 아들에게
미안해야 할 까닭이 있을까?
완득이(유아인)는 옆집 사는 담임선생님 똥주(김윤
석)을 미워하면서 지낸다. 왜냐면 그는 선생으로서
자질이 전혀 없어 보이기 때문이다.
사춘기 시절의 당연한 클리셰다. 하지만 속 깊은

똥주는 완득이 어머니를 찾아주려고 무단히 애쓴다. 마침내 어머니를 만나게 된 완득이는 함께 하는 순간이 어색하다. 재래시장에서 어머니 신발을 사주는 장면이 개인적으로 너무 기억에 남는다. 츤데레 완득이. 당시 어머니역으로 출연했던 '이자스민'은 실제 이 영화로 대한민국 국회의원까지 된다.

이 영화는 사춘기 반항심 가득한 완득이의 좌충우돌 방황과 가족의 소중함을 일깨워주는 성장 영화다.

"야 임마 도완득"

담임은 틈만 나면 싸움질하는 얌마 도완득에게 킥복싱을 권하게 되고, 완득이도 킥복싱만큼은 열심히 연습해서 시합에도 나가게 된다. 완득이와 담임 똥주와의 케미가 주는 티키타카는 친구관계 이상이다. 똥주는 완득이가 어떻게 여자 친구를 사귀었는지 궁금할 정도 편하고 가까운 척하는 사이가 된다. 둘은 최악의 원수인가 최고의 파트너 인가? 어쩌면 인생에서 이런 멘토와 멘티가 존재한다면 행복하지 않을까?

대한민국에서 이제 다문화 가정은 낯선 이야기도 아니다. 대도시를 벗어나 중소 도시만 가보아도 다문화 가정을 쉽게 볼 수 있다. 한국도 이제 선진국이니만큼 세계를 보는 시야를 넓혀야 한다. 인종차별은 서양에서만 일어나는 일이 아닐 것이다. 이 영화는 가난한 장애우 이웃과 다문화 가정이 겪는 어려움을 엿볼 수 있다.

이한 감독은 남녀 남남 로맨스 영화에 특화 되어 있는 감독인가 싶다. 감수성이 풍부한 감독. <연애소설>(2002), <청춘만화>(2006), <내 사랑>(2007), <우아한 거짓말>(2014) 등을 연출했다. <우아한 거짓말>에서는 변태스러운 장발 '유아인'을 볼 수도 있다. 완득이를 연기한 유아인은 정말 어디선가 길거리에서 볼 것도 같다. 반항아 기질이 다분하고 자유분방할 것 같은 이미지가 딱이다. 어디로 튈지 모르는 청개구리처럼 말이다.

'유아인'이 '조태오'로 분해 일생일대의 명대사를 남긴 <베테랑>을 보자. 가난했던 '완득이'에서 막 나가는 재벌 2세 '조태오'로 변신한 그를 만나 볼 수 있다. 하지만 실제 마약 복용 혐의로 수사를 받다 바람에 나도 할 말이 생겼다.

"우리가 돈이 없지. 가오가 없냐?"
                    -베테랑 中서(도철(황정민))
#완득이 #유아인 #김윤석 #2011년 이한 감독

6. 베테랑

"어이가 없네."

이 명대사는 평~생 배우<유아인>에게는 꼬리표로 따라 다닐 것이다.

1980년대 말 중학교 학창시절로 기억한다. 재 개봉관 3류 극장 앞 버스 정류장에서 영화 티켓 할인권 50%를 나눠주면서 일반 개봉관 티켓 값 보다 훨씬 낮은 가격으로 초중학생을 유혹했다. 원래 정가라고는 없었을 듯 싶은 극장인 <시장극장>은 1차 개봉관 상영 종료 후에 동네 근처 허름한 스크린 극장으로 좌석 옆 통로 사이에 서서 볼 정도로 많은 표를 남발하면서 홍콩 영화와 007시리즈 영화를 상영했다. 관객들은 거의 대부분 초, 중, 고 남학생들이었고, 내가 그때 본 영화는 주로 성룡, 강시, 제임스 본드 류 영화였다. 그 중의 한편으로 잊을 수 없는 영화인 성룡 주연 <프로젝트A>(1984)다. 숨 쉴 틈 없이 이어지는 코믹 잔바리 액션에 배꼽을 잡으면서 보았고, 집에 와서도 동생들에게 '아뷰' 성룡 액션을 흉내 내곤했다.

영화 <베테랑>의 초반 중고차 일당을 일망타진하는 부둣가 콘테이너 추격 씬 장면을 보면서 오래전 성룡의 <프로젝트 A>란 영화가 떠올랐다. 황정민, 유아인, 유해진, 장윤주, 정웅인 등의 케미도 멋지고 배우들 연기 대결도 불꽃 튀지만 연기보다 더 눈동자에 각인된 점은 <프로젝트 A2(Project A II(1987))>, 레슬리 닐슨의 <총알탄 사나이(The Naked Gun: From The Files Of Police Squad!(1990))>, 찰리 쉰 <못 말리는 시리즈>(1993) 등 한 순간도 쉼 없이 이어지는 코믹 액션과 괘를 같이 하는 듯하다.

물론 <베테랑>이 더 깨알 재미가 담긴 대사를 남발하는 류승완식 연속 액션 영화의 묘미를 준다. 대사면 대사, 액션이면 액션 뭐하나 놓칠 수 없는 영화계의 베테랑. 서도철(황정민) 형사는 트럭 기사(정웅인) 추락사고 이후 조태오(유아인)를 검거하기 위해 전력 고분 분투하지만, 거대 재벌 2세와 끗발없는 형사는 이미 동등한 체급의 대결이 아니다.

"어디 감히 누굴 건드려."

모든 것을 돈으로 해결하는 하고자 하는 재벌 2세 조태오.

"자 판이 바뀌었다. 가자."

비리 경찰 앞에서도 정의 사회를 구현하려 애쓰는 서도철 형사. 과연 서도철 형사는 재벌 2세를 상대로 일벌백계하고 권선징악의 사이다 결말을 관객들에게 선사할 수 있을 것인가?

영화에서 리얼한 마약 쟁이 연기를 했던 <유아인>이었는데, 실제 프로포폴 중독과 마약 양성반응으로 인해 수사를 받게 되어 극렬한 팬인 나로서는 하늘이 무너지는 충격이다. 현실인가?

한국 검찰은 정치가 어지러울 때, 연예인 사건 사고를 흘려 국민 시선을 돌린다는 음로론이 정말이란 말인가? 하필 '이재명 체포 동의안'건이과 정치인들의 '친일 발언'으로 어수선한 틈에 대형 연예 스캔들 '유아인' 마약 사건이 터졌다. 완벽히 시선이 분산되었다. 영화< 더 킹>(2017)에서 묘사한 사건 금고 서류철에서 꺼낸 스토리와 완벽하게 일치하지 않는가?

류승완 감독은 <죽거나 혹은 나쁘거나>(2000)로 리얼한 액션을 선보였고, <피도 눈물도 없이>(2002), <주먹이 운다>(2005), <부당거래>(2010), <베를린>(2013), <군함도>(2017)로 확실한 그만의 스타일을 선보였다. 액션 감독으로서 그가 연출한 모든 영화는 연쇄적인 상호반응이 이어지는 액션에서는 최고의 감독이 아닌가 싶다. <베를린>에서 자동차 추격 씬에서 하정우는 정말 리얼하다. 하정우, 한석규, 류승범, 전지현이 출연하여 화려한 배우들의 액션을 볼 수 있다. 타국에서 남북한 요원이 벌이는 대결은 한국판 <미션 임파서블>인가? <베를린>같은 영화는 속편을 찍어도 좋을 듯한데, 외국에서 활동하는 한국첩보원들의 활약들 말이다. 물론 <베테랑>도 속편을 바란다.

<베테랑>에서 형사 배역인 '황정민'은 영화 <검사외전>에선 검사로 나와 억울한 누명을 쓰고 감옥에 간다. 검사 '황정민'은 누명을 벗고 무사히 사회로 복귀할 수 있을까? 사기꾼 '강동원'을 조력자로 함께 해서 말이다.

"너 여기서 나가고 싶지?"

-검사외전 中(변재욱(황정민))

#베테랑 #황정민 #유아인 #2015년 류승완 감독

7. 검사외전

"철새는 러시아에서 한번 뜨면 15일을 날아,
 땅도 한번 안 밟고 먹을 것도 한번 안 먹고."

얼마 전 뮤지컬 배우가 '성추행'이란 억울한 누명
을 쓰고, 재판을 받았고 결국 무죄로 판명났다는
기사를 보았다. 비록 무죄가 되었지만, 이미 그는
뮤지컬 배우로서의 명성과 불특정 다수로부터 손
가락질을 다 받고 난 후였다. 얼마나 억울한 일이
며 분노할 심정일까? 성추행을 당했다던 가게

CCTV에 비친 화장실 환풍구 그림자로 겨우 무죄를 증명 받았다고 하니 그도 어쩌면 불행 중 다행인 천운이다. 세상 살면서 억울하고 분한 일만 당해도 안 될 것인데 거기에 거짓 누명까지 쓴다면, 그 한 맺힘은 차마 말로 다 못할 것이다. 영화 <검사외전>은 억울한 누명을 쓰고 감옥까지 간 사람이 '검사' 그는 과연 어떻게 누명을 벗고 복수할 것인가? 피의자 살인이란 누명을 쓴 채 감옥에 갇힌 변재욱(황정민) 전 검사는 천하의 사기꾼 한치원(강동원)을 우연히 만나 그를 감옥에서 나가게 해주는 댓가로 자신과 한편이 될 것을 부탁한다. 이에 수려한 외모의 사기꾼 한치원은 깨알 재미가 넘쳐나는 대사 빨을 구사하면서 화려한 사기 행각을 시작하는데, '강동원'같은 사기꾼이면 당할 수도 있다고 설득이 된다. 진심 사기꾼도 강동원처럼 키도 크고 잘 생겨야 돼.

"독사"

모든 중고등학교에는 별명이 <독사>란 선생님이 반드시 있다. 80년대 말 고등학생이었던 나는 완전 공감이 되었다. 수학과목 선생님 별명이 '생쥐'였다.
검찰청 양민우(박성웅)검사에게 학연으로 접근 한

한치원. 우리 민족은 역시 학연, 지연, 혈연으로 뭉친 사회이기에 사기도 쉽다.

<검사외전>은 검사가 교도소에서 범죄자들과 한 방에 수감 된다는 설정 자체가 재밌다. 검사시절 수감시킨 흉악범들이 우글우글한 감옥에서 목숨도 부지하기 힘들 듯 한 형국이니 말이다. 변재욱 검사는 무사히 누명도 벗고 복수에 성공할 수 있을까?

비슷한 줄거리 영화<재심>(2016)은 억울한 옥살이를 했던 피해자를 구제한 박준영 변호사의 실화를 모티브로 했다. 익산 약촌 오거리 살인 사건을 다루었다. 억울한 누명으로 감옥에서 복역까지 한 일들이 현재진행형이다.

영화 <검사외전>을 보면서 어디선가 많이 본 듯한 장면이 있기도 하다. <캐치 미 이프 유 캔(Catch Me If You Can(2003))>의 '레오나르도 디카프리오(LeonardoWilhelm DiCaprio,1974~)'가 생각난다. 그도 실존 인물이었고, '톰 행크스(Thomas Jeffrey Hanks,1956~)'가 그를 쫓는 FBI 수사관으로 나온다.

강동원이 열심히 칠판에 대고 위조사인 연습 장면을 보니 그렇기도 하다. 사기꾼도 알고 보면 누군가를 사기 치기 위해 열심히 노력도 하면서 산다.

'인생이란 노력 없이 되는 것이 없다.'

물론 그는 지적 순발력도 뛰어나다. 어설픈 위인은 절대 사기도 못 칠 것이다. 남 속이기가 쉬운 줄 아냐.

영화<마스터>(2016)에선 '강동원'이 검사역으로 지금까지 한국사회에서 최고의 사기꾼인 조희팔을 묘사한 '이병헌'을 검거하기 위해 노력하기도 했다. <마스터>처럼 다단계 사기를 다룬 '현빈' 주연 <꾼>(2017)이 있고, 드라마 '장근석' 주연 <미끼>(2023)도 있다. 방송사 시사 프로그램에선 주기적으로 수백% 이자를 준다는 미끼로 사기당한 사연들이 현재 진행형으로 방송된다. 이와 궤는 살짝 다르지만, <보이스피싱>도 있다. 영화 <보이스>(2021)를 보면 정말 리얼하게 보이스 피싱 조직을 보여준다. 매일 걸려오는 보이스 피싱인지 중요한 전화인지 보험, 카드 전화인지 받자마자 후회하면서 끊게 되는 전화가 얼마나 많은가? 영화 <보이스>를 보게 되면 놀라운 사실을 발견하게 되고 내가 그 전화번호 목록 속의 대상자가 되면 '안 속기 쉽지 않겠구나' 생각된다.

'녀석들은 치밀한 계획이 있구나.'

이일형 감독은 <리멤버>(2020)란 영화를 연출했다. 황정민은 <검사외전>에서는 누명을 쓴 검사로 나왔지만, <부당거래>에서는 열혈 형사로 나와 사건 해결을 위해 앞장선다. 물론 <베테랑>과 달리 '가오는 없지만' 말이다.

"너 오늘부터 범인하자."

-베테랑 中(최철기(황정민))

#검사외전 #황정민 #강동원 #이성민 #2015년 이일형 감독

8. 부당거래

"호의가 계속되면, 그게 권리인 줄 안다."

MZ 세대 신입 직원이 부서로 배치받아 왔다. 신입 직원이 드디어 막내로 왔다는 기쁨도 잠시였다. 그는 전날 과음한 상태라서 외부 출장 나가야 하는 길에 업무용 차량 운전을 한참 선배인 내가 해야 했다.

"그래 오전에 운전을 내가 할께, 오후에 숙취 지나가면 너가 해"

그는 꼰대 같은 선배가 운전대를 잡고 있다는 미안함 졸린 눈을 겨우 참으면서 나를 위한 답 치고 실없는 농담을 던졌다. 알고 보니 그는 일주일에 반 이상을 온몸으로 술 취했다는 표시를 내면서 출근하는 알콜 괴물이었다.

"아이고 내가 잘못했네. 내가 큰 실수를 할 뻔했어."

이후 외부로 가는 출장길에는 늘 내가 운전대를 잡게 되었고, 그는 편하게 전날의 과음을 숙면으로 해결하는 습관이 생겼다. 그렇게 몇 달을 지내고 보니 그가 전날에 무슨 일을 해도 당연한 듯이 업무용 자동차 키를 내게 맡겼다. 이제는 그에게 운전대를 잡게 하면, 조금 기분 나빠하는 표정을 지었다. 내가 생각하는 것은 그날 컨디션에 따라서 서로 배려해야지 무조건 누가 해야 한다는 것은 상대를 무시하는 처사가 될지도 모른다고 생각한다.

최철기(황정민) 형사와 주양(류승범) 검사, 둘이 부딪히는 장면에서

"내가 겁이 많아서 검사가 된 사람이야."

란 대사는 왠지 그럴 것 같다는 느낌도 준다. 비리 검사와 형사가 만나 기 싸움하면 어떻게 될까? 둘은 공존할 것인가? 아님 서로 라이벌이 되어 누군가를 짓밟고 올라 설 것인가? 사실 검사를 넘어 설 수는 없다. 어디 감히 형사 따위가 대한민국 검사를 넘봐?

결국 최철기는 요정에서 바지 벗고 무릎 꿇는다.

소문에 경찰들이 가장 불편해 한다는 영화 '부당거래'

주양 검사는 청탁 뇌물을 주는 기업가에게 한마디 한다. 정말 그런 것 같다. 가끔씩 이 대사가 생각나게 하는 실생활 장면들이 많다.

"내가 뭐하는 사람인지 아시것어?"

영화 <부당거래>는 형사, 검사, 기업가, 기자가 각자 사리사욕을 위해 서로 부당거래를 하게 된다. 누가 먹이 사슬의 최고점에 있는가? 서로 물고 물리는 관계에서 아마도 최고 권력자는 '기자'인가 싶기도 하다. 검사가 기자(오정세)를 접대하고, 롤렉스시계를 건네는 것을 보면 말이다.

"요즘 스마트폰으로 시간 봐서 시계가 필요 없어요?"

언론사는 사건을 자신에게 유리하도록 공론화 시키고, 사회 공기 흐름을 내 쪽으로 흐르게 해야 한다는 말이다. 하긴 영화<1987>(2017)에서도 공안검사(하정우)가 슬쩍 농심 바나나킥 박스에 고문치사 사건 자료를 동아일보 기자(이희준)에게 몰래 전하는 걸 보면 기자에게 권력이 있긴 하다. 국민들은 공권력을 믿고 의지하기에 영화가 영화일 뿐이기를 바라고 싶다.

<부당거래>를 보면 우리 사회에서 언론과 경찰, 검사가 어떤 식으로 고리를 물고 연결되어 있는지 단편적으로나마 이해할 수 있다. 과연 영화일 뿐일까?

사실 현실은 훨씬 더 심해서 공중파 방송을 통해서 증언도 못 할 형편이라고 내부고발자로 사임한 전직 모 검사가 증언했다. 그녀는 지금도 한직으로 근무하는 듯하다. 영화<내부자들>(2015)에서 이미 우린 목격했다. 언론사 최강희 주필, 재벌회장, 대통령 후보들이 사회를 농락하는 저질스러운 장면을 말이다.

"국민은 개, 돼지 입니다."

이 대사는 영화 <내부자들>에 등장하기도 하지만,

몇 년 전 교육부 고위 공무원이 실제로 한 말이다. 그는 심지어 자신에 대한 징계가 부당하다고 소송을 냈다. 영화 <내부자들>을 영화로만 보기 힘든 이유다.

광역수사대 최철기 반장은 경찰대 출신이 아니란 이유로 진급에서 계속 물 먹자 국민적인 관심 사건인 초등학생 연쇄살인사건을 해결하면, 진급 시켜준다는 말에 사활을 걸게 된다. 기어이 가짜 범인인 '배우'를 만들고야 말았다. 부당거래는 누가 부당거래를 한 주인공인지 우리 모두가 부당거래를 한 것인지 알 수 없는 채 영화가 흘러간다. 사실 최철기 형사 반장의 수사 동기는 순수했다. 하지만, 주위 환경이 그를 도저히 그냥 두지 않았다.

인생이 그렇다 계획대로 되는 건 아무것도 없다. 사실 굳이 '부당거래'를 할 필요도 이유도 없었다. 알고 보니 진실은 그 <배우>가 진범이었으니 말이다. 진실은 결국 승리한다. 미국 '링컨 대통령'의 인생 격언 <정직>을 한번 더 상기시키는 영화다. 영화<베테랑>이 류승완 감독 최고 대표작 영화 이며, <베테랑>이 가볍게 코믹스럽게 통통뛰면서 흘러간다면, 영화<부당거래>는 조금 무겁게 사회를 풍자한 블랙 코미디 영화다.

'류승범'이란 배우는 대체 불가한 최고의 배우다.

실제 연기인지 현실 생활인지 알 수 없을 지경의 연기와 대사를 보여준다.

류승완 감독은 액션 영화감독으론 손꼽히는 감독이다. <짝패>(2006)에서 생존 액션을 보이면서 그는 실제 주연 배우로 나서기도 했다. 감독이면서도 연기자이기에 많은 관계자들과 우정과 관계가 돈독한지 그의 영화에는 항상 많은 배우들이 까메오(cameo) 특별 출연한다. 지나가는 행인 5도 알고 보면 이름 모를 배우들이다.

'황정민'이란 사람은 정말 천의 얼굴을 지닌 배우다. 영화<히말라야>에서는 '엄홍길'보다 더 '엄홍길' 같은 산악인 모습으로 나와서 히말라야 14좌를 완등한다. 혹시 영화 <부당거래>에서 동료를 죽인 속죄로 <히말라야>산맥을 오른 것인가?

"솔직히 지금 너무 너무 춥고 배 고픈데,
 너무 너무 행복합니다."
                    -히말라야 中(박무택(정우))

#부당거래 #황정민 #류승범 #유해진 #2010년 류승완 감독

9. 히말라야

"산이 거기 있기에 올라갑니다."

근 2년 동안 동네 산악회 가입해서 거의 매주 등산을 다녔다. 산악회 가입한 기간 동안 1년은 후미 대장을 맡아 대원들 몰이를 했었다. 하지만, 겨울 산행 중 눈길에 살짝 삐끗 하는 바람에 무릎 인대가 늘어나 잠시 쉬고 있는 중이다. 대부분 산악회 등산인들의 중요한 일은 정상 인증 샷을 남기는 일이다. 지리산 천왕봉, 한라산 백록담뿐만 아니라 중국 선양(Shenyang)을 통해 백두산 북파 코스 천지까지 올라 손가락 브이로 인증 샷을 남겼다. 최종 목표는 ...히말라야 에베레스트 정상은 못 오를지언정 네팔 안나푸르나 트레킹이라도 훌쩍, 아님 스페인 산타마리아 올레길 이라도 꼭 완주하고 싶었다. 사실 히말라야 산맥 트레킹 코스는 말이

트레킹이지, 고산병도 생기는 해발 2,000~3,000m 높이의 둘레길 들이다. 마음만은 이미 네팔행 비행기에 탑승했지만, 다람쥐 쳇바퀴 직장인 특성상 불가능한 현실이다.

영화 <히말라야>는 산악인 엄홍길(황정민)과 박무택(정우) 대장의 우정, 의리를 바탕으로 한 실화 영화다. 그들의 첫 동반 등정은 히말라야 산맥에 위치한 칸체중가 봉이었다. 히말라야 14좌를 목표로 한 엄대장 등반은 8천 미터 높이의 고지대이기에 전문 등반대 팀이 조직되고 베이스 캠프를 설치하고 현지 세르파의 도움으로 정상에 도전해야 하는데 모든 것이 완벽히 준비된 상태에서 날씨의 상태도 도와주어야 한다. 또한 어떤 사고도 없는 운도 좋아야 한다.

실제 얼음 빙벽이 70도 경사의 수천m로 크래바스와 눈사태를 마주쳐도 산악대원 모두가 무사해야

한다. 실제 엄대장은 산에서 동료를 많이 잃었다. 히말라야 정상 정복은 어쩌면 목숨을 걸고 올라야 하는 위험천만한 등정이다. 과연 이들의 목숨 건 도전은 언제까지 함께 성공할 수 있을 것인가? 가파른 빙벽에 한줄기 생명줄인 안전로프를 설치해야하고, 동료들을 믿고 의지하면서 산소 농도 3분의 1인 곳. 8,000m 이상 데드 존을 18시간 내에 정상을 밟고 돌아와야 하는 한발 한발 목숨 걸고 올라야 하는 위험한 등반 여정을 함께 하려 한다. 영화 <반지의 제왕 (The Lord Of The Rings(2001))>에서 '프로도'가 절대 반지를 용암에 녹이기 위해 올라야 하는 산마저 하찮게 보일 지경이다. 호빗 족이 올라야 하는 산은 가상의 산이지만, 히말라야는 눈앞에 실제 하는 에베레스트 산이다. 검게 그을린 얼굴에 하얀 치아가 하얀 눈과 어울려 나도 모르게 에베레스트 빙벽에서 맞는 일출을 경험해보고 싶은 도전 의지를 불러 일으켰다. 그래서 많이들 올레 트레킹이라도 떠나는가 보다. 동네 500m 약수터 뒷산도 고가 아웃 도어 브랜드 장비로 풀 무장을 한 채 올라가는 대한 민국의 등산인들. 당장 안나푸르나 봉을 올라도 부족하지 않은 의상과 장비들이지만, 히말라야는 절대 장비빨 로만 오를 수 없는 현실이다.

오직 산(山) 만을 사랑한 산 사나이 엄홍길과 박

무택. 한쪽 다리를 부상당해 이제 산악인으로 더 활동한다면 다리 절단까지 생각해야 하기에 결국 은퇴를 하고, 산악대장 후임으로 박무택 대장으로 인계했다. 하지만 그는 에베레스트(Mount Everest) 대학 등반대를 이끌다가 8,000m 정상 부근에서 낙오 사고를 당하고 말고 실종된 상태가 된다. 결국 엄대장은 사상 유래가 없는 '휴먼 원정대'를 조직하여 박무택을 찾아 나선다. 에베레스트 정상 정복 등반이 아닌 '박무택의 시신'을 찾다 복귀하는 등반대다. 춥디추운 에베레스트 정상에서 얼어 죽은 그를 그냥 그 곳에 둘 수가 도저히 없어서다. 또 다시 목숨을 건 도전을 시작해야만 한다. 그는 박무택 시신을 찾아 무사히 돌아올 수 있을 것인가?

<람보>(1982), <록키>(1976)의 '실베스타 스탤론(Sylvester Stallone(1946~))'<클리프 행어>(1993)나 비행기 추락 사고를 다룬 <얼라이브>(1993), <K2>(1991)가 헐리우드 산악 영화로 기억나지만, 한국 영화로는 최초일 것이다. 이것은 산악 영화이기도 하지만, 목숨을 건 사나이들의 의리 영화다.

특히 얼어붙은 '박무택 시신'을 발견하고 난 후반부에 가서는 흐르는 눈물을 주체할 수 없다. 당시에 난 극장의 맨 뒷자리에 앉아 혼자 영화를 봤는데, 양쪽으로 앉아 같이 훌쩍 거리던 50대 중년

아주머니가 동시에 손바닥으로 뺨에 흐르던 눈물을 훔치던 나에게 무심히 동시에 건네던 티슈를 잊을 수 없다. 지금껏 본 산악 영화들 중 신파가 아님에도 산악인들의 스토리에 이렇게 많은 눈물을 훔친 적은 없었던 것 같다.

이미 고인(故人)이 된 박무택 대장을 찾기 위해 내 목숨을 걸고 히말라야 산을 다시 오를 수 있을까? 만약 잘못되면, 내가 죽을 수도 아니면 한쪽 다리를 영원히 못 쓸 수도 있을 상황에서 말이다. 가능한 시나리오인가?

최근에 읽은 베스트셀러 '오은선의 한걸음'은 그녀의 히말라야 14좌 등반의 후기로 히말라야 영화와 같이 읽는다면 더 생생한 현장감을 느낄 수 있다. 항상 영화보다 실제 사연이 더 상상 초월한 스토리와 감동을 제공한다. 지금도 많은 산악인들이 히말라야산맥 에베레스트 정상을 도전하고, 성공과 실패의 기로에서 삶의 선택을 결정지어야 할 상황을 마주 할 것이다.

내가 지금 히말라야 베이스캠프 눈보라 휘몰아치는 극한 날씨의 상황에서 산악 정상에서 구조요청이 온다면, 당신은 '내가 간다'고 무전기로 응답할수 있을까? 내 목숨을 걸고 구조 신호에 응답할 무전기 버튼을 누를 수 있을까?

" 잠깐만 기다리고 있어. 내가 달려갈 테니까? "

'황정민'은 자타 공인 대한민국 최고의 배우다. 그가 연기한 모든 것들은 최고의 연기다. 그의 수상소감은 아직도 회자 되고 있다. 2005년 청룡 영화제 수상소감에서

"다 차린 밥상에 숟가락만 얹었을 뿐이다."

이석훈 감독은 <댄싱 퀸>(2012), <해적-바다로 간 산적>(2014), <공조2-인터내셔널>(2022)를 연출했다.
한국 현대사를 직통으로 관통한 한국판 <포레스트 검프>(1994)인 <국제시장>을 보면서, 20대부터 70대 노인을 연기한 황정민을 보자.

"쪼꼬렛또 기부 미.(Chocolate give me)"

-국제시장 中(덕수(황정민))

#히말라야 #황정민 #정우 #산악영화 #2015년 이석훈 감독

10. 국제시장

"아버지 저 잘 살았지예."

영화 <국제시장>을 볼 때마다, 저 대사를 들을 때
마다 왜 자꾸 나도 눈물이 글썽이는지 알 수 없
다. 명절이면 시골 큰 아버지 집으로 전국의 뿔뿔
히 흩어졌던 온 가족이 모일 때면, 80줄에 들어선
할아버지께서는 본인의 형님 얘기를 늘 반복하시
곤 했다. 명절마다 습관처럼 반복되는 일이다. 그

분은 서울에 있는 대학을 다니다가 6.25 전쟁에 참전했고, 행방불명이 되셨다고 했다. 집안에서 가장 똑똑한 형이었는데, 만약 살아있었다면 집안 형편이 많이 달라졌을 것이라고 늘상 말씀 하셨다.

1950년 12월 흥남부두 철수작전에서 '메러디스 빅토리호'를 오르다가 동생을 잃어버린 죄책감으로 평생을 살아온 덕수(황정민)는 온 인생을 가족을 위해 살아간다. '격정적인 현대사의 한복판에서 모든 것을 체험한 그는 우리 할아버지 세대의 이야기다.'

영화 <7번방의 선물>이 "예승아"로 신파 영화의 끝판이라면, <국제시장>도 그에 못지않은 신파 영화이나, 결은 좀 다르다.

전쟁의 비극인 흥남부두 철수에서 베트남 참전까지 이어지는 격동의 시대를 관통한 인간 '덕수'의 20대에서 70대에 이르기까지 파란만장한 인생은 영화를 보는 내내 가슴 가득히 눈물이 고인다.

대한민국이 선진국이 되기까지 할아버지 세대가 겪었던 70년대를 아시는가? 독일 이름 모를 광산으로 파견되었던 광부와 간호사들이 있었고 베트남 전쟁에 파병되어 국가를 위해 목숨 걸고 달러를 벌었다.

특히 1980년대 '이산가족 찾기'는 온 국민의 눈물

샘을 자극했다. 이후 이산가족 찾기는 수십 년 동안 꾸준히 진행되어 온 국가적인 행사였는데, 언제부터인지 보수 정권에 따라서 명맥이 끊어진 것은 너무 안타깝다. 영화 속에서 한국사에서 한 획을 그었던 인물인 앙드레 김, 정주영, 이만기, 남진을 군데군데 찾아보는 솔솔한 재미도 있다.

<국제시장>을 보고 나니 영화 <포레스트 검프(Forrest Gump,1994>가 생각난다. '톰 행크스'는 미국의 현대사와 자신의 삶을 같이 했지만, 그가 가족을 위해 희생하지 않는 점이 다르다면 다르다.

부산 중구 부평동 국제시장 입구에는 '꽃분이네'라는 잡화점이 지금도 실제 있다. 가게 상호를 배경으로 인증 샷을 찍기 위해 줄 서는 관광객들이 여전하다. 다만 구입할 물건들, 필요한 것이 많이 없어 구경만 하는 잡화점이기에 안타깝다.국제시장은 서울 남대문시장과 비슷하다. 유명 옷가지들과 각종 먹거리들이 넘쳐난다. 코로나 유행 이전에는 인파에 밀려 시장 구경을 했지만, 지금은 그 이전보다 조금 어려운 시국이 되었다.

윤제균 감독은 <두사부일체(頭師父一體)>(2001), <색즉시공(Sex Is Zero (2002)>, <1번가의 기적>(2007), <해운대>(2009), <영웅>(2022)을 연출했다.

<국제시장>의 윤덕수가 장남으로 살면서 가족을

위해 희생했다면, <인생은 아름다워>에서 오세연
(염정아)는 중년에 이르도록 가족을 위해 살다가
시한부 인생을 맞는 연기를 한다. 귀에 익숙한 음
악이 너무 좋아서 두 번 보게 된 영화다.

"여보 나 첫사랑 좀 찾아줘."

-인생은 아름다워 中(세연(염정아))

#국제시장 #황정민 #김윤진 #오달수 #2014년 윤
제균 감독

11. 인생은 아름다워

"소리 내지마~~ 우리 사랑을 누가 듣잖아."

2019년 이후 코로나 시국임에도 불구하고 극장 티켓비가 올랐어도 소수 팬들에 의해 N차 관람이 유행이다. <헤어질 결심>(2021)이 그렇고 <탑건 2(Top Gun: Maverick, 2022)>, <더 퍼스트 슬럼 덩크 (The First Slam Dunk, 2023)>가 그렇다. '당신은 개봉관 극장에서 N차 관람한 적이 몇 번

있는가?' 아이맥스로 봐야 할 영화를 일반 상영관에서 보고 다시 대형 극장을 찾아 본 적은 몇 번 있었지만(덩케르크) 그냥 일반 2D 영화를 2번 본 기억은 <인생은 아름다워>가 개인적으론 최근엔 유일하다.

뮤지컬 영화로서 주크박스 음악이 너무 화면과 잘 어울려서 마치 한편의 뮤직 비디오를 보는 느낌이다. 제목과 스토리는 전혀 안 어울리는 영화이기도 하다. 아내 세연(염정아)이가 폐암에 걸려 시한부 판정을 받게 되었는데, 왜 제목이 <인생은 아름다워>인가? 하기야 이탈리아 영화 '로베르토 베니니' <인생은 아름다워 (Life Is Beautiful>(1997)도 실상 내용과 미스 매치한 것도 매한가지다. 이런 영화를 일명 '블랙 코미디'라고 불리운다.

"거짓말 거짓말 거짓말"

아내의 마지막 소원인 학창시절 첫사랑을 찾아나선 남편(류승룡)은 전국 팔도를 승용차로 해맨 끝에 마침내 전라도 보길도 섬에서 첫사랑을 찾았지만, 알고 보니? 극장 안에서 민폐 관람객 같았지만 제일 크게 소리 내 웃은 장면이다. 박장대소란 이럴 때 어울리는 말 같다. 남편한테 첫사랑 남자 찾기를 부탁하더니, 꼬습다. <예감은 틀리지 않는

다(The Sense of an Ending, 2017)>란 영화도 생각이 나기도 한다. 나와 당신의 기억이 다르다는 이유로 말이다. '첫사랑을 맘 속으로 아직도 간직한 분들은 꼭 이 영화를 보시라.'

가수 임병수, 이문세, 이적등 8,90년대 가요 한곡 한곡이 적재 적소에 화면과 어우러져 감동적으로 다가온다. 두 눈 질끈 뺨으로 뜨거운 눈물이 흐를지도. 전국 도시를 다니면서 추억을 되새기는 부부 여행은 마치 나도 동반한 여행처럼 곁에 가까이 함께 있는 것 같다. 해운대 백사장에서 <나 잡아바라> 과거 회상 장면도 너무 좋았고, 남편 추억 회상 장면에서 군 입대하는 연병장 훈련병 까까머리들과 함께 장인어른(박영규)의 '안녕이라고 말하지 마'는 신의 한수다. '아이스크림 사랑'이란 염소 목소리가 트레이드인 가수 임병수 노래를 아시는가? 광화문 가로수길 거리를 배경으로 젊은 시절 추억을 부르는 노래가 너무 듣기 좋다. 나이 들어서 그런가? 갱년기가 되어서 그런가? 나의 청춘 시절 추억이 생글생글 몽글 몽글스럽다. 염정아가 이렇게 연기를 잘하는 배우였나? 드라마 <스카이 캐슬>(2018)

에서 부유층 자녀들 과외 학부모로서는 존재감을 한껏 과시했는데, <인생은 아름다워> 첫 장면인 시내버스 안에서 중학생 립스틱을 손가락에 조금

묻혀 자신의 입술에 묻히는 장면을 보면서 정말 옆집 실제 현실 아주머니 같았다.

'뜨겁게 뜨겁게 안녕'

영화 <인생은 아름다워>는 동명의 영화지만, 내용은 전혀 딴판이다. 인생 영화로 이탈리아 <인생은 아름다워>(1999)를 꼽는 영화팬들이 많은 데, 혹시 동명의 제목으로 유혹한 것은 아니겠지?
최국희 감독은 <국가 부도의 날>(2018)을 연출한 감독이다. 스펙트럼이 꽤 넓은 가 보다.
배우 '류승룡'이 출연한 최고 신파영화는 사실 이 영화가 아니다. 눈물 없이는 도무지 볼 수 없는 영화. "예승아"를 외치는 <7번방의 선물>을 보시라. 정말 대한민국 최고의 신파영화다.

"나 태어날 때, 어머니 많이 아팠어요.
 나 머리 커서 "

-7번방의 선물 中(용구(류승룡))

#인생은 아름다워 #류승룡 #염정아 #2020년 최국희 감독

12. 7번방의 선물

"예승아"

딸을 키우는 딸 바보 아버지로서 돌이켜 생각해보면 태어나서 성인이 된 지금까지 늘 딸 등 뒤를 바라봐야 하는 아빠의 눈은 마치 24시간 CCTV처럼 관찰해 온 것 같다. 밥은 먹었는지? 왜 기분이 안 좋은지? 오늘은 왜 좋은지? 화장실은 잘 가는

지? 부터 온갖 잡다한 것들을 궁금해 한다.

소위 신파 영화라 하면 어떤 영화일까? 궁금하신가? 설마 <엄마 없는 하늘 아래>(1977)를 떠 올리는 건 아니겠지? 근래 신파영화라면 최고의 자리에 매김한 <7번방의 선물> 이 정도는 되야지.

용구(류승룡)는 정신 지체 장애인으로 길에 쓰러진 애를 구하기 위해 심폐소생술을 했지만, 오히려 그에겐 성추행과 살인이란 누명이 씌워졌다. 교도소에서 만난 성의 없는 국선 변호사는 영화<부당거래>(2010)에서도 하루 일당 20만 원만 받는다고 오히려 큰소리치던 국선 변호사 바로 그 분이다.

바보처럼 사랑하는 딸 예승이를 지키기 위해 스스로 죄를 인정하는 용구. 결국 사형수로 선고를 받고 교도소에 갇히고 만다. 본성이 착한 그는 교도소에서 상대 조직 칼침으로부터 같은 방장(오달수)도 살리고, 화재로부터 교도소장(정진영)도 구해 수감자들로부터 어린이를 죽일 살인자가 될 위인이 아니라는 것을 모두가 알게 된다. 감방 동료들의 도움으로 동화 같지만 감방에서 같이 살게 된 예승이.

<7번방의 선물>은 2013년 1,280만 명을 울린 신파 영화 끝판왕. 이 영화 이후에 다시 버금가는 신파 영화로는 <신과 함께 1,2,3>(2018) 시리즈가 최고였다. 무려 3편 까지. 웹툰 작가 주호민과 그

들 일당이 모두 인기 반열에 올라 어린이들의 장래 희망이 웹툰 작가로 바뀔 지경이다.

용구의 하소연에도 불구하고 결국 예승이에게 마지막 작별 인사를 하게 되고, 사형장으로 가는 장면은 정말...영화의 시작은 재심 법원 재판 장면에서 훌륭하게 잘 자란 예승이(박신혜)를 만난다. 잘 자라주어서 고맙다고 하늘나라에 간 용구 대신 전하고 싶기도 하다.

<7번방의 선물>을 다시 본다면 첫 장면부터 가슴 저리다. 볼 때마다 가슴이 찡하다. 부녀 관계 특히 어린 딸과의 관계는 대부분 특별하다. 딸 바보로 살게 된다.

용구는 그래서 진심 바보인가 싶기도 하다. 딸이 발가락만 삐끗해도 온갖 걱정을 다하는 아버지 결혼식장에서 손잡고 입장하는 아버지도 있지만, 차마 손조차 잡지 못하는 아버지도 있다. 아직 딸을 내 마음속에서 보낼 준비가 안 되어서 말이다. <7번방의 선물>은 아버지가 장애우인 경우다. 하지만, 오직 딸 예승이를 위해서 살아왔기에 내가 세상에 없는 공간에서 지낼 딸이 걱정이다.

영화 <말아톤>(2005)은 자녀가 다운증후군인 '장애우'로서 연기한 영화다. 장애우 윤초원(조승우)은 '내 다리는 백만 불짜리 다리' 배우 조승우는 이 영화로 연기자로서 한 단계 업그레이드 되었을 것이고, 관객들은 그런 대단한 배우를 보면서 감동이 배가 된다.

용구는 결국 누명을 벗지 못하고, 사형장 이슬로 사라진다. 영화를 보면서 어설픈 장면과 말도 안 되는 장면을 지적하자면 끝이 없지만, 그냥 가족 신파 영화로 즐기면서 보시길 바란다. 교도소 안에는 실제 저렇게 착한? 사람만 있지 않다.

코믹하지만 리얼한 교도소 수감 생활을 보여주는 <슬기로운 감방생활>(2017)을 봐도 억울한 사람들이 많지만, 모두 착하지는 않다. 영화는 영화일 뿐이다.

이환경 감독은 <그놈은 멋있었다> (2004), <각설탕>(2006), <챔프>(2011), <이웃사촌>(2020)을 연출했다.

그러고 보니 배우 '류승룡'이 출연했던 영화는 모두 조금 모자란 캐릭터를 보여주는 것 같다. <내 아내의 모든 것>(2012)에서 허술한 상 남자였고, <극한직업>에선 죽지 않는 좀비 형사로 부활했다. 이 시국에 신파영화라니 눈물 따위는 개나 줘버리고, 봐도 봐도 깨알 빅 재미 대사와 숨 쉴 틈 없는 액션이 넘치는 <극한직업>을 보자.

"스쿨 버스라니 마을 버스야."

-극한직업 中(고반장(류승룡))

#7번방의 선물 #류승룡 #박신혜 #오달수 #2013년 이환경 감독

13. 극한직업

"지금까지 이런 맛은 없었다. 이것은 왕갈비인가? 통닭인가?"

숨 쉴 틈 없이 몰아치는 깨알 대사 펀치와 코믹 잔발 액션. 말 빨 드립 류 영화인 것인가 드라마를 어디선가 본 듯한데..

영화 <스물>(2015)에서 TV 드라마 <멜로가 체

질>(2019)을 통해 살짝 맛 본 말 맛 향연.

경찰 마약반 고반장(류승룡)은 참 열심히 일한다. 경찰 입사 동기들은 모두 과장으로 진급했음에도 눈치라곤 없는 아니 안보는 고반장이다. 우린 직장에서 실제로 작업복에 온갖 흙 먼지덩이를 뒤집어쓰고 누가 봐도 오버일 정도로 열심히 너무 몸을 열심히 뭐든지 하는 친구들이 꼭 존재한다. 어느 조직이든 열심히 일하는 친구가 있다. 사실 그것보다 일을 잘 해야 할 터인데 말이다. 그래도 가끔씩 아주 가끔씩 <소 뒷 걸음 치다가 개구리 잡 듯> 우연히 성과를 이루기도 한다.

"우리 오늘 소고기 회식인데, 따라 와."

이제는 마지막 임무라는 각오로 마약 범죄를 소탕하기 위해 뭉쳤다. 아내 몰래 퇴직금으로 주간에는 치킨 장사를 하고 밤에는 잠복근무를 하지만, 사실 치킨 집을 오픈해야 하는 주간이 문제다.

"왜 치킨 장사가 잘 되는 거야?"
"일하는 놈 따로 있고, 노는 놈 따로 있다더니"

방심하지 마시라. 이 영화를 볼 때마다, 왕갈비 통닭 치킨의 유혹을 이길 수 없다. 영화를 보고

난 당시 경기도 수원성 앞에 위치한 왕갈비 통닭 골목을 직접 내돈 내산 방문한 관객 중 한 명이다. 한창인 유행할 당시에는 수원 통닭 집 웨이팅이 길었었는데, 지금도 그런지 모르겠네.

영화 <극한직업>에서 신의 한수는 오정세(테드창)와 신하균(이무배). 둘이 만남에서 벌어지는 피자 집에선 대사인지 애드립 인지 모를 말맛의 향연이 펼쳐진다.

<동백꽃 필 무렵> (2019)과 <남자 사용 설명서> (2013)에서 절대적인 존재를 과시했던 배우 오정세가 너무 좋다. 그의 얼굴만 봐도 그냥 웃음이 나온다. 마약 조직 일당은 치킨 집을 프랜차이즈로 이용해 마약을 전국 조직망으로 확대해서 공급하려고 하는데, 우리 고반장 마약반들은 이들을 소탕할 수 있을 것인가? 유도 국대, UDT 특전사, 무에타이 동양 챔피언, 좀비가 모인 마약반은 천하무적 팀이다. 뭐 마블 왕국에 '어벤져스'가 있다면, 마약반에는 이들이 있다. 엔딩 씬마저 웃음 짓게 하는 영웅본색 OST와 함께 한 영웅본색 오마주 쇼파 장면도 그냥 우습다.

대단한 역대 급 코믹 액션 영화로 관객 1,600만 명을 동원했고 대한민국 역대 흥행 순위도 <명량>(2014)의 1,700만 명에 이은 2위다. 보고 싶어도 보고 싶은 이런 영화는 꼭 다시 보고 싶다. 왜

빨리 2편을 안 찍는지 제일 궁금한 영화. 무조건 속편도 천만 관객까지 가지 않을까? 배우 이병헌과 동명이인 이병헌 감독은 <멜로가 체질>(2019), <스물>(2015), <바람 바람 바람>(2018), <드림>(2023)에서 이미 말맛의 향연을 지긋이 던져 주었다.

"나 힘들어 안아줘"

드라마 <멜로가 체질>을 지금도 넷플릭스로 틈틈히 다시 보고 또 보고 하면서 밥 먹을 때 시청 작자료로 쓴다. 도대체 이 드라마를 찍은 감독의 뇌가 궁금할 지경이다. 류승완 감독이 온 맨몸 <액션의 연속성>을 보여준다면 이병헌 감독은 <대사의 연속성>을 보여주는 최고의 감독인 듯. 범죄 소탕에는 국내 해외가 따로 있지 않고, 남한 북한을 가리지도 않는다.

여기 남 북한이 힘을 합친 현란한 액션이 존재하는 <공조> 시리즈를 통해 '현빈'과 '유해진' 콤비를 만나 보는 재미도 쏠쏠하다. 속편인 <공조 2>에선 남북한 공조를 벗어나 남북미가 협조하여 세계로 수사 범위를 넓혀 범죄를 일망타진한다. '다니엘 헤니'는 던지는 미소가 느끼한 만큼 남자들은 마음의 준비를 하시길.

"우리는 다른 세계에서 왔지만, 공통의 적이 있습니다."

-다니엘 헤니

#극한직업 #류승룡 #이하늬 #오정세 #신하균
#2019년 이병헌 감독

14. 공조 1,2

"남에는 형사가 형님 밖에 없시오."

현빈, 유해진, 다니엘 헤니, 윤아...눈 호강시켜 주는 라인업으로 이미 그 역할을 다 했다. 각자 개성이 뚜렷한 배우들에게 독특한 캐릭터를 부여하니, 평론가들의 평점이 쓰레기 수준으로 낮더라도 일반 관객들은 올해 2022년 추석 연휴에 다른 블

록버스터 영화를 제치고 <공조>를 픽했다. 올해 최고 기대작 <외계+인1>(2022), <비상선언>(2022)등 블럭 버스터 영화가 큰 기대와 함께 개봉했지만 재미없는 헬스장 런닝 머신 같고, 신파적이란 모욕적인 평론과 함께 생각처럼 흥행도 못하고 손익 분기점에도 크게 못 미치며 초라하게 막을 내렸다. 휴가 철 블록버스터 영화를 피하고 명절 특수로 승부를 걸었던 <공조2>가 완벽하게 승리했다. <공조2>는 그냥 웃으면서 편하게 팝콘과 함께 하는 '킬링타임용'으로 딱 이다. 전편 <공조1>에서는 한국으로 밀입국 침투한 위조 동판을 가진 북한 조직 두목(故 김주혁)을 잡기 위해 남북한이 공조를 했다면, <공조2>에선 미국에서 한국으로 잠입한 북한인물을 잡기 위해 남북한 요원과 함께 미국요원(다니엘 헤니)이 공조한다는 스토리다. <공조> 스케일은 더 방대해졌지만, 사실 스토리는 뭐 전작과 별반 다르지 않다. 한국 영화 소재로는 분단 한반도의 특수한 상황이 다른 여타 국가보다 많은 이야기를 만들어 낼 수 있다.

아마도 남북 병사가 만난 영화 시초는 <공동경비구역 JSA> (2000)가 대표작이다. 초코파이를 한 입에 삼키던 북한군 병사(송강호)와 OST 김광석의 <이등병의 편지>가 떠오르는 영화. 엔딩 크레딧 장면 중 판문점에서 찍은 단체 사진 한 장이 큰 울림을 줬던 영화로 기억한다. 최근 개봉 영화 중 <645> (2022)는 38 휴전선에서 북한쪽으로 날아가 버린 1등 당첨된 로또 종이를 둘러싼 가볍게 즐기는 남북한 경비병들의 이야기로 과거와 다른 MZ 세대들을 보여주었다. 남북한은 이질감과 동질감이 동시에 존재하기에 보는 시각에 따라서 많은 이야기를 만들어 낸다. 북한 특수층 자제의 탈출에 관한 이종석 주연 <VIP> (2017)란 영화도 있고 북한의 권력 쿠데타를 건드린 정우성 <강철비>(2017)란 영화도 있다. TV 드라마도 마찬가지다. 실제 '현빈'과 '손예진'의 결혼까지 이어진 북남 남녀 로맨스를 다룬 <사랑의 불시착>(2019)도 그렇다.

이제 한국의 콘텐츠는 이것이 사실이든 아니든 전 세계인들에게 K 콘텐츠로 사랑받고 있다. 코리아를 잘 모르는 세계인들은 영화나 드라마에 빠져 이미 현실 세계로 사실처럼 믿고 한국으로 유학 오거나 관광 오기도 한다. 해외여행을 가면, 흔히 사우스 코리아? 노스 코리아? 자유롭게 해외여행을 하는 한국인들을 보면서도 아직 헷갈리나 싶기도 하지만 그런가 보다 한다. 이해는 안 되지만. 중요한 것은 한국인에 대한 호감도가 급격히 상승했다는 점이다. 물론 최근 인기 몰이 중인 유튜브 채널 '곽튜브(곽준빈,1992~)' 채널을 보면 세계 각국을 여행 중인 곽튜브를 보고선 '아 유 차이니즈?(Are you chinese?)'로 물어주는 것보다 훨씬 낫다. 평론가들의 평점으로 영화 선택 기준을 삼지 마시라. 직접 보시라. <공조> 같은 영화를 예로 들수 있다. 평론가들이 절대 높은 평점을 줄리 없는 액션 오락물에 관객들은 호응했고 선택했다. <공조 1편>은 김성훈 감독 연출이고, <공조 2편>은 이석훈 감독 작이다. 콤비 형사물의 원조는 뭐니해도 <투캅스> (1993)다. 박중훈, 안성기 콤비는 영화 <라디오 스타> (2006)에서도 실제 스타와 매니저를 보는 느낌이었다. 물론 <인정사정 볼 것 없다>(1999)에서도 두 배우가 같이 출연하기도 했다.

형사 콤비 레전드 영화로 <투캅스>가 물론 뛰어나지만, 현실적인 너무 현실적인 리얼 형사는 <공공의 적>에서 만날 수 있다.

"야 강철중이."

-공공의 적 中

#공조1 #현빈 #유해진 #김주현 #2017년 김성훈 감독

15. 공공의 적

"야 거기 서."

모든 사람들에겐 전성기 리즈 시절이 있다. 노안 배우 설경구의 최고 전성기 인기 시절 영화. 물론 개인적인 생각임을 전제로 이야기하지만, 전성기 라고 정우성처럼 외모가 빛나지는 않는다. 대한민 국 정의구현을 위해 나선 배트맨 형사가 아니라 그냥 태생적 노숙자형 형사 강철중(설경구). 그는 위아래 물불을 가리지도 않고, 불의를 보고 참지 않는다. 그렇다고 정의롭다고도 할 수도 없다. 책상 서랍에는 달랑 굴러다니는 모나미 볼펜 한 자루. <공공의 적>은 부모를 죽인 사이코 패스 범죄자와 한판 대결을 한다. 오직 돈이 인생 최고 목표인 분노조절장애 사이코패스(이성재)는 사소한 일에도 화를 참지 못해 살인을 아무렇지 않게 저지르고, 심지어 전 재산을 기부할려는 자신 부모마저도 ....숨이 끊어져 가면서도 어머니는 사이코패스 자식을 보호하기 위해 떨어진 자식 손톱을 삼키기까지 한다.

<부모가 되어야 부모의 입장을 이해하는 것>은 모든 인간의 공통점인 것 같다. 과연 열혈 형사와 엘리트 사이코패스는 어떤 광기를 서로에게 보여줄까? 서로 누가 더 지독한 놈인지 알 수 없는 맞수 상대.

오래 전 2002년 월드컵 당시 영화이지만, 설경구 연기는 최고다. 무려 강산이 두 번이나 바뀌는 20년이란 세월이 흘렀지만, 외모는 왜 그대로 인것 같지. <공공의 적>(2002), <공공의 적2> (2005), <공공의 적1-1>(2008), <공공의 적 4> (2013) 시리즈는 4편까지 나올 정도로 인기작이었다.

"야 요즘에 누가 제일 좆 같냐?"

<자산어보>(2021), <불한당>(2017), <퍼펙트맨>(2019), <유령>(2023) 등 지속적으로 우리 곁에서 연기를 보여주고 있다. 개인적으로는 제59회 베니스 영화제 특별 감독상 <오아시스>(2002)와 제4회 부산 국제 영화제 개막작인 <박하사탕>(1999)를 제일 좋아한다.

'나 돌아갈래'

어디에선가 카페 포스터로 본 기억이 선명한 터널 앞 기차 철로 길에서 양팔 벌려 소리치는 모습. 가끔 나도 인생을 리셋하고 싶을 때, 소주 3병쯤 마시고서는 큰 소리로 아파트 거실에서 외친다.

'멍멍멍'

드라마 <재벌 집 막내아들>(2023)에서 다시 어린 시절로 돌아가는 타임 슬립 플롯을 가지지만, 실제 삶은 드라마처럼 그렇게 원하는 시절대로 돌아갈 수는 없는 일이다. <돌아갈 수 없기에 우린 돌아가고 싶다.> 영화 <공공의 적> 이야기가 <박하사탕>으로 삼천포로 돌아가 버렸네. 영화 <공공의

적>은 오직 독고다이, 독불장군 형사 이야기다. 이런 류의 형사물을 좋아한다면 기억해두길 바란다. 강우석 감독은 놀랍다. <달콤한 신부들>(1989), <행복은 성적순이 아니잖아요>(1989), <누가 용의 발톱을 보았는가>(1991), <미스터 맘마> (1992), <마누라 죽이기>(1994), <이끼>(2010), <전설의 주먹>(2013) 등 이루다 열거하기도 힘들다. 다시 그의 작품을 보고 싶은 마음이 간절하다. 그가 감독이라면 그냥 마냥 기대되는 이유다. 배우 설경구가 출연한 최초의 천만 영화로 잊혀진 비극적인 실화를 다룬 <실미도>를 안 볼 수 없다. 정말 실화인가 싶다. 믿을 수 없는 다큐멘터리 같은 사실이 영화로 펼쳐진다.

"우리는 간첩이 아니다. "

-실미도 中

#공공의 적 #설경구 #이성재 #형사 #2002년 강우석 감독

16. 실미도

"날 쏘고 가라."

1968년 1월 21일 북한 공작부대 김신조 일당이 박정희 대통령을 암살하기 위해 청와대 뒷산으로 몰래 침투한 사건이 발생했다. 국민은 물론 정부 관계자들은 큰 충격에 휩싸였다. 그해 1968년 4월 우리도 이에 대응한 보복 조치로 북한 침투 부대를 창설했다. 일명 <684부대>. 총 인원 31명으로 구성된 그들은 인천 앞 바다 외딴 섬 실미도에서 계급도 소속도 없이 극한의 훈련에 매진하게 된다. 사형수, 무기수 등 사회 밑바닥 포기한 인생들에게 특수 임무를 무사히 수행하고 다시 남한으로 복귀하면 새로운 삶이 보장된다는 보상으로 그들을 유혹했다.

<684부대>는 창설 목적은 '김일성 목 따는 것'이 주 임무였다. '낙오자는 죽이고, 체포되면 자폭하라' 신념으로 눈깔에 살기가 가득한 무시무시한 살상 병기 군인으로 길러졌다. 드디어 모든 침투 살상 훈련을 마친 후 모두 목숨을 걸고 폭풍우 치는 한 밤 중에 고무보트에 올라 북으로 향했다. 이제 '김일성 목'만 가져 오면 될 일이다. 하지만, 훈련 받는 기간에 남북한 정치적인 상황이 당시와 다르게 급격하게 전환되었다. <684부대> 창설을 주도했던 중앙정보부장이 교체되었고, 남북 화해무드가 조성되어 그들을 침투시켜서는 안 될 상황이었다. 더욱이 청와대는 <684부대> 해체 지시 명령했다. 그들이 폭풍우 치는 새벽 밤에 보트를 다시 남한으로 방향을 틀어 복귀해야 했다. 아무런 목적이 없어진 아니 잃어버린 <684부대>는 오히려 정부에 짐이였고, 오히려 존재 자체가 밝혀져서는 안될 부대였다. 중앙정보부는 심지어 그들의 제거를 명령했다.

"비겁한 변명입니다."

기간 사병의 실미도 부대를 제거 계획을 엿 들은 실미도 684 부대원들은 먼저 기간 병을 공격해서 실미도 섬을 탈출하는데 성공한다. 이제 자신의 존재를 국민에게 직접 알리기 위해 청와대로 향했다. 그들은 시내버스를 타고 서울 시내 당시 유한양행 건물 대방동 부근까지 진입했지만, 결국 모두 숨지고 만다.

영화 <실미도>는 한국 최초 천만 관객을 동원한 영화다. 개봉할 당시 군대 향수가 가득한 중년 남성들의 열렬한 지지를 받고 그들을 극장으로 이끌었다. 흔들다리 훈련받다가 바닥으로 떨어져 숨지는 훈련병을 보면서 눈물을 흘리거나 의미 없는 시간만 보내다가 지쳐 결국 부대를 탈출하여 마을 여선생님을 강간하는 장면은 일말 동정심도 생겼다. 부대원들은 그들을 몽둥이로 때려죽이는데, 그것도 이해가 될 지경이다. 실미도 <684부대>는 그런 곳 이었다.

영화 <실미도>는 실화를 바탕으로 제작 되었고, 백동호 작가 동명 소설 <실미도>가 원작이다. 물론 극적인 상황 연출하기 위해 실제 사건과 다른 부분도 있을 것이다. 하지만, 그들 <684부대>원들의 잊혔던 존재는 <실미도>란 영화를 통해서 천만 관객들에게 알려지게 되었다. 이 영화 이전에는 <실미도 684부대>가 실제 존재했던 부대라는 것을 알지도 못했고 유언비어처럼 떠도는 말을 믿지도 않았다. SBS 시사교양 프로그램 '그것이 알고 싶다.'에서 실제 생존자와 가족을 인터뷰하면서 방송되어 더 큰 충격을 주었다. 그들이 사회적 낙오자도 사형수도 아니었다는 진실을 알렸다.

강우석 감독은 <실미도>로 한국 첫 천만 영화감독이다. 그가 만드는 모든 영화들이 흥행되었고, 재미가 있었다. 6.25 전쟁이 일반 국민들에게 얼마나 의미 없는 고통스러운 동족상잔 비극이었는지 장동건, 원빈이 주연인 영화 <태극기 휘날리며>에서 알 수 있다.

"형 왜 이제야 온 거야?"

-태극기 휘날리며 中(진석(원빈))

#실미도 #설경구 #허준호 #안성기 #2003년 강우석 감독

17. 태극기 휘날리며

"형 나야 진석이 제발 정신 차려."

대한민국 현대사의 가장 큰 비극은 뭐니 뭐니 해도 6.25 전쟁 일 것이다. 6.25 전쟁을 다룬 많은 영화 중 형제(장동건,원빈)의 비극적인 상황을 다룬 영화 <태극기 휘날리며>는 천만 관객을 동원하며 큰 감동을 주었다. 특히 이 영화는 마치 스티

븐 스필버그 감독<라이언 일병 구하기> (1998)에서 노르망디 해변 착륙 씬 만큼 리얼함에 비견될 정도로 전투 장면 묘사가 뛰어났다. 물론 2004년도 영화를 기준으로 말이다.

이진태(장동건), 이진석(원빈) 두 대한민국의 가장 잘 생긴 배우 2명이 출연한다는 자체만으로 이 영화는 화제가 되었고 어쩌면 너무 뛰어난 외모가 영화 몰입을 방해할지도 모른다. 6.25 전쟁 소용돌이 속에서 무공훈장만 받으면 같이 전쟁에 끌려온 친동생을 귀향시켜준다는 말에 형 진태는 목숨을 건 임무에 지원을 반복하면서 전쟁광이 되어버린다. 결국 그렇게 무공훈장도 받고, 진급도 하게 된다. 하지만 민간인들과 다툼중에 오히려 인민군에 의해 동생이 죽은 줄 오해를 하게 되고, 복수심에 북한군 깃발 부대의 선봉장이 되고 만다. 자신보다 귀했던 동생의 죽음은 극한 복수심을 진태에게 주고 말았다. 이제 형과 동생은 적군이 되어버렸다. 두 형제는 6.25 전쟁의 극한 대치 상황에 무사히 만날 수 있을까? 아니 살아남기나 할 것인가?

몇 년 전까지만 해도 명절이나 6월경이면 영화 채널 OCN에서 한 번씩 방영했었는데, 지금은 오래 전 고전 영화로 인식되어 버렸다. 하지만, 여전히 6.25 전쟁을 묘사한 영화로는 손꼽히는 명작임에

분명하다. 아직도 채널을 이리 저리 돌리다가 이 영화를 만나면 끝까지

정주행 하곤 한다. 전쟁이 얼마나 사람을 황폐화하고, 일반 국민들에게 비극적인 지옥 같은지 너무 잘 묘사된다. 잠시 서울이 북한군에 점령 당 했을 시 굶주림 끝에 쌀을 배급받기 위해 <보도연맹>에 가입했던 사실로 인천상륙작전으로 다시 서울이 수복되었을 때 죽창에 사형당해야 하는 아무런 공산주의가 뭔지도 모르는 선량한 사람들. 아직도 여전히 좌우 진보 보수가 논쟁중인 제주 4.3 사건 도 아마 이런 비극의 모습을 하고 있을 것이다. 서울 용산 전쟁 기념관에 설치된 '형제의 상'이란 동상은 박규철, 박용철이란 두 형제의 비극을 동상으로 만든 것인데, 이 영화<태극기 휘날리며>의 제작 모티브가 되었다. 6.25 전쟁은 1950년에 일어난 전쟁으로 그리 멀지 않은 시기다. 지금은 너무나 평화로운 한반도지만, 몇 년 전만 해도 <연평도 해전>(2002), <천안함 침몰>

(2010)이 일어났다. 현재 세계 곳곳 전쟁 중이고 많은 사람들이 목숨을 잃고 있다. 너무 비극적인 믿기지도 않는 현실이다. 조그만 사건들에서도 극한 분노 조절 장애가 일어나 사건 사고가 끊이지 않는 현대사회이지만 가장 큰 비극은 뭐니 뭐니 해도 전쟁일 것이다.

강제규 감독은 <은행나무 침대>(1996)으로 강렬한 인상을 주었다. 그동안 흥행했던 기운을 그대로 이어가는 형국이다.

영화<태극기 휘날리며>가 6.25 전쟁 초반 부분을 다룬 영화라면, 신하균, 고수 주연 <고지전>은 6.25 전쟁 종전상황으로 마침표를 다룬다. 어떻게 6.25 전쟁이 마무리 되었는지 꼭 이 영화를 보시기를.

"이것이 다 무슨 물건이야?"

-고지전 中(강은표(신하균))

#태극기 휘날리며 #장동건 #원빈 #2004년 강제규 감독

18. 고지전

"어떻게 인민군과 내통할 수 있나?"

방첩대장 강은표(신하균)은 전방부대 부대원 중 누
군가 인민군과 접촉하고 있다는 간첩을 잡기 위해
강원도 최전방 동부전선 '애록 고지'로 향한다.
영화를 보면서도 6.25 전쟁 통에 이런 일이 어떤
경우에 생길 수나 있는지 궁금하기도 했다. 은표
는 동부전선 부대에서 과거 인민군 포로로 잡혔다
가 헤어지게 된 친구 김수혁(고수)를 만나게 된다.
최전선 전방 전투 현장에서 만난 친구는 오래 전

내가 기억하는 헤어진 그 친구가 이미 아니었다. 전쟁이 사람을 많이 변하게 만들었다.

눈앞에 보이는 '애록 고지'를 서로 차지하기 위해 일진일퇴를 거듭하는 그 곳에서 중위 수혁은 <악마부대>를 이끌고 있었으며 이미 전쟁에 미친 상태였다. 점차 두 사람도 고지를 차지하기 위한 고지전 전투에 같이 참전하면서 점차 왜 전쟁하는지 의미를 잃어간다. 고지를 차지하고 뺏기고 다시 차지하고 뺏기는 끝없는 전쟁....영화 <고지전>은 6.25 전쟁 당시 휴전 협상이 마무리가 되는 전쟁 후반부를 다루고 있다.

길고도 지루했던 6.25 전쟁은 마침내 1957년 7월 27일 오전 10시에 휴전 협정이 체결되어 드디어 전쟁이 끝났다. 이 소식에 모든 국민들과 전투중인 군인들은 환호성을 질렀다. 하지만, 비극적인 소식이 전해졌다. 휴전 협정 문서에는 오전 10시에 사인되었지만, 실질적인 발효 시간이 22시 (오후 10시)였다. 다시 앞으로 12시간 동안 땅 따먹기 즉 눈앞에 보이는 고지를 한 걸음이라도 더 점령을 해야 한다. 결국 이 시점에서 빼앗긴 <애록 고지>를 다시 차지 해라는 명령이 하달된다. 서로 죽고 쓰러지고 죽이는 <고지전 전투>를 통해 비극적인 전쟁 상황을 직시할 수 있다. 지금 러시아 우크라이나의 정체된 전쟁 상황도 아마 이와 같을 것이다. 도대체 왜 이 전쟁을 수행하는지 모두 그 의미를 잃은 채 한 자리에서 끝없이 동료가 죽어 나가는 마치 '지옥' 같은 상황을 연출한다.

6.25 전쟁은 '김일성'이라는 독재자가 일으킨 전쟁이고, 현재 러시아 우크라이나 전쟁은 '푸틴'이라는 독재자 때문이다. 단 한 명의 악마 같은 인간이 나라의 지도자가 되면, 어떤 결과가 되는지 '히틀러'를 통한 역사에서 배워야 함에도 인류는 끝없이 잘못된 선택을 반복하고야 만다.

'역사를 잊은 자에게 미래는 없다.'

- 신채호

강원도 백마고지, 화살머리고지 전투를 실제 모티브로 한 이 영화는 어떤 영화에서보다 전쟁의 참혹성을 잘 알려준다. 명령에 죽고 사는 군인이기에, 뺏고 빼앗기는 무한 반복되는 고지 전투에 의미 없이 버려지는 목숨들이다. 남북한 병사가 다르지 않다.

특히 인민군 병사 중 스나이퍼 일명 <2초>로 출연한 '김옥빈'이 아주 인상적이다. 총에 맞아 동료가 쓰러진 후 2초 뒤에 들리는 총성 메아리. 그래서 그를 <2초>로 불리며 국군을 공포에 떨게 한다. 동료를 희생하면서까지 꼭 잡고 싶은 <2초>

공포스러운 스나이퍼. 안타깝게도 스나이퍼 <2초>
에게 수혁도 결국 죽음을 맞이하고 만다. 형제 비
극을 다룬 <태극기 휘날리며>가 6.25 전쟁 발발
전후라면, <고지 전>은 전쟁 마침 부를 묘사한다.
이 영화를 보고선 휴전 협정에 서명을 한 후 12
시간 후에 효력이 발휘되었다는 것을 알게 되기도
했다.

'전우의 시체를 넘고 넘어 앞으로 앞으로'

6.25 전쟁 관련 노래가 너무 잘 어울리는 <고지
전>은 2011년 개봉한 영화이고, 치열한 전투 뒤
에 고지를 겨우 차지한 뒤 쉴 틈도 없이 저 멀리
밤에 나팔 소리와 꽹과리 소리와 함께 고지를 향
해 몰려오는 중공군과 인민군 떼거지는 마치 공포
영화의 좀비 떼 같은 한 장면 같다.
<고지전>은 세계1차 대전 당시 참호전에 비교된
다. 프랑스 독일 참호 전선에서 눈앞에 서로가 보
일 정도의 가까운 거리에서 시체가 겹겹이 쌓이는
모습을 보면서 참호 전쟁을 수행했다. 그래서 1차
세계대전을 일명 <참호 전투>라고도 한다. 고지전
투는 더 상황이 어렵다. 산을 뛰어올라야 하고,
위에서 또는 아래에서 적을 상대해야 하기에 말
이다.

장훈 감독이 연출한 <고지전>은 뛰어난 전투 장면 묘사와 남북한 군사가 별반 다르지 않는 같은 민족임을 한 번 더 상기시켜 준 것 같다.

6.25 전쟁의 가장 극적인 전환점이 되었던 작전은 <인천상륙작전>이다. 전쟁 상황을 바꿔놓았다. 배우 이정재가 특수 군으로 분한 <인천상륙작전>을 추천해 본다.

"당신 비밀번호를 대 보시오."

-인천상륙작전 中(림계진(이범수))

#고지 전 #고수 #신하균 #김옥빈 #2011년 장훈 감독

19. 인천상륙작전

'노병은 결코 죽지 않는다. 다만 사라질 뿐이다.'
- 맥아더 장군

세계 2차대전 결정적인 전환점이 된 가장 위대한
작전은 스티븐 스필버그(Steven Spielberg, 1946~) 감독
<라이언 일병 구하기(Saving Private Ryan, 1998)>
에서 잘 묘사한 '아이젠하워 장군'의 <노르망디
상륙작전>(1944)이었다. 이에 6.25 전쟁에도 노르

망디 상륙 작전에 비견되는 성공 확률 5000:1인 '더글라스 맥아더 장군(Douglas MacArthur(1880~1964))' <인천상륙작전>이 있었다.

내 조국을 위해 아낌없이 목숨 바친 이름조차 기억되지 못한 구국의 영혼들. 만약 그들의 희생이 없었다면, 지금 평화로운 대한민국은 존재하지 않았을 수도 있다. UN군(22개국)의 인천상륙작전을 성공시키기 위해 무명의 군인들이 팔미도 등대 사수에 목숨을 버렸고 월미도 앞바다에 배치된 북한군 수중 어뢰 해도를 구하기 위해 목숨을 잃었고 이 희생들로 인해 결국 <인천상륙작전>을 성공시켰다.

이 영화에는 배우 '이정재'와 인천 방어 사령관 림계진으로 '이범수'가 출연했고, 무엇보다 맥아더 장군 역으로 맥아더보다 더 맥아더 같은 영화 <테이큰(Taken, 2008)>으로 잘 알려진 배우 '리암 니슨(Liam Neeson,1952~)'이 검정 선글라스와 담배 파이프를 물고 연기했다.

동족 간 벌어진 6.25 전쟁은 그 자체로 비극적인 일이다. 2023년 현재도 전쟁이 지구상에서 사라질 것이라고 사라졌다고 희망 고문을 마음속으로 했지만 현실은 전혀 그렇지 않다. 지금 이 순간도 시리아, 예멘, 이스라엘, 러시아, 우크라이나 등지에서 이해하기 힘든 전쟁으로 지옥 같은 장면을 연출하고 있지 않은가? 일본 국민들이 지난날 군국주의 역사 교육을 제대로 받지 못하는 것처럼 우리도 행여나 6.25 전쟁이 무심히 잊혀 갈까 봐 무서울 지경이다.

'평화를 원한다면, 전쟁을 준비하라.'

6.25 전쟁 참상을 이 영화를 통해 더 잘 살펴볼 수 있다. 전쟁의 양상을 바꾼 <인천상륙작전>외에도 영화 <장사리>(2019)는 인천상륙작전이라는 같은 소재이지만, 정반대 지역인 포항 인근에서 인천상륙작전의 양동작전인 <장사상륙작전>으로 무명 병사들 희생을 다룬다. 또한 <포화속으로>(2010)에서는 갑작스러운 6.25 전쟁에 학도병으로 징집된 71명 어린 소년병들의 감동적인 실화를 보여준다. 또한 6.25 전쟁 막바지 휴전(1953년)을 다룬 영화 <고지전>은 강원도 고지전투를 다룬 영화로 실상 대한민국 모든 곳에서 전쟁의 상흔이 존재한다. 우리가 잊힌 영웅을 기억하는 것이 그분들을 위해 조금이라도 위로가 될 것이다. 이재한 감독은 <내 머릿속의 지우개>(2004)를 통해 멜로영화의 신화를 쓴 감독이다. <포화속으로>(2010)도 연출했다.

해군 첩보부대 대위 장학수로 출연한 배우 이정재

는 영화<헌터>(2022)를 통해 감독으로 정식 데뷔
한다. 박진감 넘치는 장면을 청담동 부부로 불리는
'정우성'과 동반 출연했다.

"너 간첩이지?"

-헌트 中(김정도(정우성))

#인천상륙작전 #6.25 전쟁 #이정재 #이범수 #리
암 리슨 #2016년 이재한 감독

20. 헌트

"누가 배신자인가?"

안기부 조직 내에 침투한 북한 간첩 조직 '동림'
을 잡아라. 도대체 누가 북한 스파이 동림인가?
안기부 해외파 팀장 박평호(이정재)와 국내파 팀장
김정도(정우성)는 서로 상대편을 의심하게 되고 서
로의 치부를 들춰 간첩 동림을 상대 조직에서 증
거를 잡기 위해 안달한다.
대한민국 최고 멋지고 잘생긴 배우들의 열연을 볼

수 있다는 쾌감을 선사해 준다. 첩보 액션 영화라면 이 정도 수준은 돼야지 하는 모범 답안 같은 영화<헌트>다. 영화 <헌트>는 1980년대 제5공화국 군사정권 시대를 배경으로 하여 역사적인 팩트와 픽션을 절묘하게 구성했다.

배우 이정재 감독 데뷔작인 <헌트>에서 '정우성'과는 <태양은 없다>(1999) 이후 한 영화에 동반 출연한 것은 처음이라고 한다. 이미 둘은 '청담동 부부'로 널리 알려진 잉꼬 커플이라서 영화에 대한 기대로 한껏 부풀어 올랐다. 한 영화에서 둘을 동시에 본다는 자체만으로 영화광으로서 기대치가 한껏 높아졌다. 여배우로 비교하자면 <김혜수>와 <전도연>이 같이 출연한 느낌처럼 내가 왜 설레지?

남북한이라는 특수한 정치 환경은 영화 소재로서 무궁무진(無窮無盡)할 것이다. 실화를 바탕으로 한 영화지만 아쉬운 점은 실제 인물이 누구인지 모두 다 알지만, 가명을 사용함으로써 리얼리티가 떨어진다는 점이다. 헐리우드 영화처럼 역사적인 사실을 모티브로 했다면 가감 없이 실명을 사용해 리얼리티를 한껏 올려야 몰입감도 뛰어나다. 아직 우리는 영화적인 측면에서 후진국인가 싶기도 하다. 그나마 조선시대 배경으로 하면 실존했던 인물 이름을 사용하지만, 근현대사로만 넘어와도 실명을 거론하기 어렵다. 그래서 늘 이름 없는 민초들이 주연이고 조연이다.

누가 봐도 <대머리 전 대통령>이고 <버마 아웅산 테러 사건>이지만 구체적으로 묘사되지도 선명하게 이름이나 명칭을 밝히지도 못한다. 그래서 영화를 보면서 1980년대에 저런 사건이 있었나 없었나 의심하게 되고, 실제 사건 명칭을 알지 못하니 젊은 친구들은 모든 사건들을 픽션으로 여긴다. 아저씨들 외에는 검색조차 힘들 지경이다. 영화 산업이 더 발전하려면 영화를 단지 영화로 봐주는 성숙한 영화 의식을 가져야 한다. 하기야 임진왜란 이순신 장군을 다룬 영화<명량>마저도 주연으로 나온 후손이 선대를 비하했다고 소송당할 지경이니 영화 제작사도 어느 정도 고민이 있을 듯싶다.

배우 이정재는 <헌트>를 통해 감독으로 훌륭한 역량을 아낌없이 보여주었다. 긴박하고 스릴 넘치는 장면들이 연속되고 군더더기 없는 모범 액션이 넘쳐나는 영화를 만들고야 말았다. 당시 기대작이며 경쟁작인 대작들 <비상선언> <외계인>등이 줄줄이 폭망하여 <헌트>에도 큰 기대가 없었는데, 기대를 건 대작들은 큰 실망을 준 반면, 생각지도 못한 <헌트>에서 큰 재미와 흥행을 얻은 건 관객들로서도 감독으로서도 행운이다. 벌써 이정재 감독 차기 작품이 기대될 지경이다. <미션 임파서블>처럼 <헌트> 시리즈를 지속적으로 이어가도 될 듯싶다.

감독을 체험해본 배우 이정재는 앞으로 어떤 연기를 할까도 궁금하다. 배우로서도 연출가로서도 한껏 성장하지 않을까? 이정재 감독은 <헌트>시나리오를 받아 몇 년 동안 수정하고 수정했다고 한다. 그만큼 노력한 땀방울이 한 방울 한 방울 맺힌 듯 영화는 보고 또 보고 해도 전혀 지루하지 않다. 제목을 '헌터'라고 해야 했으나, 이미 있어서 '헌트'라고 지었다는 비하인드가 있다.

너무 잘 생겨서 오히려 손해 보는 배우 '정우성'은 <더 킹>이란 영화에서 '정치 검사'로 나와 맘껏 권력을 휘둘렀는데, 윤석열 정권을 맞아 정말 <더 킹> 같은 영화가 현실이 되어버렸다. 검사 출신이라고 모든 권력 기관과 실세 요소요소에 검사 출신들은 배치할 줄이야.

"아버지가 누구에게도 비굴하지 않았는데,
 오직 젊은 검사한테만 머리를 조아린다.
 이제부터 나의 장래 희망은 검사다."
                                 -더 킹 中(박태수(조인성))

#헌트 #이정재 #정우성 #전혜진 #2022년 이정재 감독

21. 더 킹

"진정한 대한민국 왕은 누구인가?"

어릴 적 무소불위(無所不爲) 아버지가 나이 어린 젊은 검사 앞에서 무릎을 팍 꿇는 것을 목격한 박태수(조인성)는 큰 충격을 받고 자신도 검사가 되기로 결심한다. 일단 인생이 박태수처럼 맘먹은 대로 이루어진다면 얼마나 좋을까? 생각해 본다.

영화니까 허구니까 가능한 일들이다. 검사가 되고 싶다고 대통령이 되고 싶다고 된다면, 누구나 장래 희망이 꿈으로 실현되는 이상적인 유토피아 사회일 것이다. <더 킹 >이니까.

박태수는 대한민국 1% 정치 검사 중에서도 가장 강력한 한강식(정우성) 검사의 연줄을 잡고, 본격적인 정치 검사라인이 된다. 한마디로 대한민국 권력 곁에 바싹 붙어서 자존심을 다 버리고 살아간다. 한강식 라인 검사가 수사하는 모든 것들은 신문 기사 1면에 보도된다. 검사실 비밀 창고 캐비넷에는 언제든지 화제가 될 수 있는 주목을 집중시키는 묵은 사건들이 수두룩하다. 내가 하고 싶은 데로 선택하면 될 일이다. 이제 세상을 다 가진 한강식 라인 박태수는 승승장구(乘勝長驅)할 것인가?

2023년 현재 검사 출신 대통령 시대에 이 영화는 선견지명(先見之明)인지 검사의 정치 권력화가 어떻게 되는지 잘 보여준다. 아버지가 검사 출신 국회의원이면, 50억 퇴직금으로 받아도 무죄가 되고, 아버지가 검사면, 학교 폭력으로 징계를 받더라도 서울대학교에 입학하는 것이 현실이다. 영화보다 현실이 더 믿기지 않는 세상에 살고 있다.

<더 킹>은 2015년 개봉한 영화다. 토사구팽(兎死狗烹)인지 읍참마속(泣斬馬謖)인지 박태수는 한강

식 라인에서 꼬리 자르기식 버림을 받고는, 시골 한직으로 쫓겨나게 된다. 태수의 뒤를 봐주던 든든한 고향 친구 최두일(류준열)도 결국 죽음을 맞게 되고, 그는 이제 모든 것을 잃었다. 하지만 이대로 끝낼 수도 물러날 생각도 없다. 박태수는 한강식에게 복수하기 위해 '정치인' 즉 '국회의원'이 되기로 한다. 본격적인 박태수와 한강식의 대결이 벌어질 터이다. 결국 누가 이겼는지는 알 수없이 영화는 열린 결말로 마무리한다.

<더 킹>을 보면서 대한민국을 움직이는 보이지 않는 손은 도대체 누구일까 궁금해졌다. 누가 진정한 <킹>인가? 영화에선 모든 권력을 움켜쥔 자는 오직 '검사'였다. 2015년 개봉한 블랙코미디 같은 영화지만, 만약 지금 재개봉한다면 그때보다 큰 화제가 될 것 같다.

이 영화는 '레오나르도 디카프리오(Leonardo DiCaprio, 1974~)' 주연의 <더 울프 오브 월 스트리트(The Wolf of Wall Street, 2014>와 유사한 점이 많은데, 조던 벨포드가 오직 돈만을 쫓는 주식 중개인으로 나와 결국 파멸하게 된다는 설정이, 박태수가 성공 욕망으로 점철된 정치 검사 인생에서 추락하게 된다는 운사점이 있다.

한재림 감독은 <연애의 목적>(2005), <우아한 세계>(2007), <관상>(2013), <비상선언>(2022)을 연출했다. '대한민국처럼 권력자가 살기 좋은 나라가 있을까?'라는 기획 의도로 <더 킹>을 만들었다고 한다.

너무 잘 생긴 배우 정우성이 정치 부패 검사인 한강식으로 대한민국을 주물렀지만, 영화<아수라>에서는 부패 비리 형사로 나온다. <더킹>과 <아수라>는 부패한 대한민국 권력 집단을 다룬다는 데서 공통점이 있다.

"너 내가 만만하냐?"

-아수라 中(검사(곽도원))

#더 킹 #조인성 #정우성 #류준열 #2016년 한재림 감독

22. 아수라

"여기서 내가 아무리 발버둥 쳐도 영원히 빠져
 나오지 못할 것 같습니다."

도경은 아수라의 지옥에 빠졌다. 부패한 시장이
재개발 공사건 이익을 편취하기 위해 공공 권력을
사적으로 이용하고 비리 경찰과 폭력 조직이 손발
이 되어버렸다. 영화 <아수라> 이야기다.
하지만, 부산 해운대 초고층 엘시티가 각종 불법
허가로 준공이 되었고, 경기도 성남시 대장동 개
발 건은 현재 진행형 비리 사건이다. 영화 <아수

라>가 흥행 못 한 이유는 현실이 더 극적이고 영화보다 재밌기 때문이다. 모두가 영화 <아수라>의 현실판이다.

가상 도시인 안남시 악덕 시장과 독종 검사, 경찰, 건설사들이 얽히고설킨 형국. 형사 도경(정우성)은 황반장(윤제문)과 건물 옥상에서 몸싸움하다가 어이없이 그를 죽이고 만다. 김차인 검사(곽도원)는 cctv를 증거로 도경을 협박하여, 시장(황정민)의 비밀을 녹음해 오라고 한다. 한도경은 아내 수술비 때문에 온갖 일을 다 저지르고, 시장 박성배와 검사 김차인사이에서 갈팡질팡하면서 제목처럼 '아수라장'에 빠진 형국이다. 지옥이 현실이 되었다. 모두가 사리사욕(私利私慾)을 위해 이기적인 입장만을 옹 고집하는 현실. 어쩌면 우리의 맘 속 깊은 곳에 숨겨진 자본주의 욕망일지도 모른다. 하지만 쥐도 궁지에 몰리면, 고양이를 문다고 하지 않는가? 한도경은 건들면 폭발할 듯 극한의 막다른 절벽에 내몰렸다.

영화는 어느 정도 현실을 반영하지만, 일반인이 상상조차 하지 못하는 일들이 벌어지는 비리 현장 모습은 이것이 정말 영화인지 현실인지 상상하기 힘들다. 어쩌면 영화이기를 바랄 뿐이다.

잘생긴 '정우성' 얼굴이 엉망진창 망가지는 것이 안타깝지만, 너무 잘생긴 탓에 폭행으로 인한 역울함이 배로 증가된다.

'정우성'과 감독 '김성수'는 <비트> 이후에 17년 만에 다시 재회했는데, 이렇게 그를 못 생기게 얼굴을 망가뜨려야 했는지 의아스럽다.

한국 사회는 지금 전국이 재건축 재개발이 지속적으로 진행 중이다. 전쟁만으로 목숨을 잃는 것이 아니라, 온갖 비리에 연루되어 목숨을 스스로 버리는 사람도 있다. 자본주의 사회에서는 돈이 총칼이고 핵무기인 셈이다. 개인 이익을 위해 차악이 최악을 응징하는 꼴을 잘 표현한 영화 <아수라>다.

영화 <아수라>는 '아수리언'이라는 골수 팬덤을 만들어 냈다. <아수라>의 명장면 중 하나는 폭풍우 치는 서울 도심 한복판 자동차 추격씬이다. 한국 영화사상 최고 중 하나로 기억에 남았다. 비 내리는 강변북로 위 자동차 3,4중 충돌과 추격, 폭발씬은 엄청난 속도감과 긴장감을 동시에 제공한다. 이것도 아수라장이다.

김성수 감독은 <비트>(1997), <태양은 없다>(1999), <무사>(2001), <감기>(2013)를 연출했다. 감각적인 감독이다.

정우성의 본격적인 등장을 알린 영화 <비트> 방황하는 젊은 청춘 민이는 말했다.

"나에겐 꿈이 없었다."

-비트 中(민이(정우성))

그래서 훗날(2016년) 아수라장 한복판에 있는가?

#아수라 #황정민 #정우성 #곽도원 #2016년 김성수 감독

23. 비트

'나에겐 꿈이 없었다.'

장래 꿈이 의사, 검사, 판사를 꿈꾸는 모범생이라면 모를까 대부분 청소년 고등학생 시절 자신의 꿈이 있었을까? 대학생 성인이 되어도 구체적인 꿈이 없었던 나를 돌아본다.

밥벌이하기 위해 직장인이 되어서도 막상 <나의

꿈>이 무엇인지 모른 체 다람쥐 쳇바퀴 삶을 지금 껏 살아가고 있다. 나만 그런가?

강남 밤거리를 주름잡던 태수(유오성)와 민이(정우 성) 두 10대들의 방황 이야기.

민이는 대학 입학을 위해 강북으로 전학을 가면서 태수와 헤어지게 된다. 전학 간 고등학교에서 불량 셔클 일진 환규(임창정)와 시비를 가리지만, 상대가 되지 못한 환규였고, 이후 둘은 친구가 된다. 환규의 전설적인 명장면 명대사인.

'어디서 좀 놀았냐?'

나이트클럽에 놀러 간 민이와 환규는 노예미팅을 하게 되고 여기서 로미(고소영)와 커플이 된 민이는 연인 사이로 발전하게 된다. 10대 청춘들인 민이, 태수, 환규, 로미는 성장하면서 의리, 우정, 사랑을 알아가게 된다. 흔한 고교 청춘물처럼 학교생활보다 사회생활을 통해 인생을 경험해 가는 청춘들이다. 태수는 조직 깡패 무리와 어울리다가 결국 감옥에도 가게 되고 이후 조폭 조직 전갈파 3인자쯤 되는 똘마니로 살아간다.

세월이 흘러 나이 들고 보니 아무것도 몰랐던 순수한 20대 청춘 시절을 그리워하고 타임머신이 있다면 다시 돌아가고 싶은 간절한 바람이 있지만,

막상 학창 시절 정중앙을 지나는 삶의 한 가운데
에서는 그 순간이 가장 아름다운 순간인 줄 모른
다.

영화 <비트>는 아름다운 청춘 시절 기억이지만,
젊은 시절 허튼 방황이 마냥 아름답게만 보이지
않는다. 홍콩 영화가 유행하던 시절이니만큼 <열
혈남아>(1988)나 <천장지구>(1990)에서 유덕화가
떠오르는 한국 청춘 로맨스물이다. 오늘날 정우성
을 있게 한 영화<비트>.

MZ 세대들에게 배우 <정우성>은 옛날 사람이고
아저씨로 보이겠지만, 당시에는 그가 지금 <차연
우>고 <강동원>이었다. 카페 벽에 걸린 <달리는
오토바이에서 두 팔을 한껏 벌린 모습> 영화 포스
터를 본 적이 있는가? 위험천만했던 오토바이 그
장면이 바로 영화 <비트>다.

영화 <비트>가 1980년대 고등학생 청춘들 방황을
그렸다면 故 강수연님과 박중훈의 <미미와 철수의
청춘 스케치>(1987)란 당시 대학생 시절을 그린
영화도 있다. 하지만, 너무 올드한 1980년대 옛날
영화를 추천하는 것이 실망이라면 MZ 세대 청춘
물인 영화 <스물>을 보자.

말맛 드라마 대가 이병헌 감독이 연출했고, 기럭
지가 우수한 김우빈, 강하늘, 2pm 준호가 주연이
다. 배우 이병헌과 동명이인(同名異人)이다.

김성수 감독은 이후 <태양은 없다>(1999), <무사>(2001), <감기>(2013), <아수라>(2016) 를 연출했다.

고딩 남자들의 청춘물인 영화<비트>가 있다면, 이제 여자들의 추억 팔이 청춘물인 <써니>를 보자. 그녀들의 학창 시절은 어땠을까?

"하사장님 변호사입니다. 써니 멤버들이시죠."

-써니 中(변호사)

#비트 #정우성 #유오성 #고소영 #임창정 #1997년 김성수 감독

24. 써니

"어머~ 미친년~ 너 주댕이가 자유분방 하구나."

전라도 벌교 전학생 나미(유호정), 진덕여고 의리
짱 춘화(진희경), 쌍꺼풀에 목숨 건 장미(고수희),
욕 배틀 대표주자 진희(홍진희), 문학소녀 금옥(이

연경), 미스코리아를 꿈꾸는 복희(김선경), 얼음공주 수지(민효린). 나미는 <7 공주파> 새 멤버가 되어 경쟁 학교 서클 그룹 <소녀시대>와의 맞짱 대결을 한다. 일곱 명의 단짝 친구들은 언제까지나 함께 하자는 맹세로 칠공주파 <써니>를 결성하고 그로부터 25년 후, 잘 나가는 남편과 예쁜 딸을 둔 나미는 일상의 무료함을 느낀다.

어느 날 '써니짱' 춘화와 마주친 나미는 재회의 기쁨을 나누며, <써니> 멤버들을 찾아 나서기로 결심하는데…

가족에게만 매어있던 일상에서 벗어나 추억 속 친구들을 찾아 나선 나미는 그 시절 눈부신 우정을 떠올리며 가장 행복했던 순간의 자신과 만나게 된다.

영화 <써니>는 중년이 된 지금 지난날 고등학교 시절을 되새기는 추억 여행 영화다.

유하 감독 <말죽거리 잔혹사>는 남자고등학교를 다룬 점에서 다소 폭력적인 장면이 많지만 <써니>는 여고이기에 사랑스럽고 코믹한 장면이 다수다. 사춘기 소녀들의 달달한 이야기를 보고 있으니 '소피 마르소' <라붐(The party)>(1980)이 생각난다.

현재 삶을 사는 각자 인생 속에서 누군가는 추억이 그립기도 하고, 누군가는 아무도 내 처지를 알리고 싶지 않다. 첫사랑의 추억은 그대로 아름다운 것이지 수십 년이 흘러 첫사랑을 재회한다면 상상속의 인연들이 모두 사라질지도 모른다.

싸이월드(cyworld)의 세상은 그대로 아름다운 것이다. 인스타그램의 사랑은 새로 시작하는 사랑인 만큼 과거는 잊고 시작하자.

고등학교 졸업 후 갓 20살이 된 시기를 다룬 영화로는 <미미와 철수의 청춘스케치>(1987), <젊은 날의 초상>(1990), <고양이를 부탁해>(2001), <스물>(2014) 등이 있다.

지금은 고인이 된 강수연 배우의 가장 풋풋한 시절을 볼 수 있는 <미미와 철수의 청춘스케치> 이문열 작가 소설을 원작으로 하는 <젊은날의 초상> 상업계 고등학교를 졸업한 여고생들의 청춘기 <고양이를 부탁해> 남고를 졸업하고 말맛 청년 방황기인 <스물>.

영화 <스물>에서 말 맛 향연이 벌어지지만, 남자를 짐승처럼 섹스에 미친 사람으로 묘사한 것은 조금 불편하기도 하다. 성 감수성이 민감한 요즘 세대에 영화 <너의 결혼식>(2018)에서 박보영이 '빠구리'가 전라도에서는 '땡땡이'를 의미하는 말이지만 보기에 따라서는 당황스럽기도 하다.

같은 청춘물이지만, <스물> <너의 결혼식>을 추천하고 싶지는 않다.

강형철 감독은 <과속스캔들>(2008), <타짜 신의 손>(2014)을 연출했다.

강하늘, 박서준의 현실 청춘물이라고 하기에는 좀 그렇지만, 파릇파릇한 놈들의 혈기 왕성한 경찰 대학생들 중구난방 실전 수사 도전기인 <청년경찰>을 보자.

"그냥 우리가 잡아볼께요."

-청년경찰 中(희열(강하늘))

#써니 #유호정 #진희경 #홍진희 #심은경 #2011년 강형철 감독

25. 청년 경찰

"아 씨발 대한민국 경찰 왜 이래? "

·열혈 순수 두 얼간이 청년 좌충우돌 사건 해결기
영화로 강하늘(희열), 박서준(기준)이 주인공이다.
킬링타임용 팝콘 무비로 쉽게 얕보다가 두 주먹
불끈 쥐기도 하고 눈물 한 방울도 찔끔 흘린다.
 영화 제목 <청년 경찰>만 읽고선 형사물로 착각하

지는 말라. 교훈을 주고자 하는 영화는 더 더욱 아니니 깊이 생각하지도 마시라. 일명 난자 공장에 여성을 가두고 괴롭히는 일당을 일망타진하는 두 청년의 활약상이다. 상상해본다.

경찰대학 학생 '강하늘'은 졸업한 이후 황용식이 되어 <동백꽃 필 무렵>(2019) 옹산으로 발령 나서 눈깔 도는 직진 경찰이 되어 결국 '동백이'를 지켜준다. ㅎㅎㅎ

영화 <청년 경찰>을 보면서 예전 '노희경' 작가 TVN 드라마 <라이브>(2018)가 생각났다. <라이브>도 경찰대학을 졸업한 후 지구대에 배치받아서 실제 직장생활을 하는 직업인 경찰을 볼 수 있는데 개인적으로 인생 드라마 중 하나다.

2인 1조 파트너와 함께 사건 사고 현장에 출동해야하고 하루 종일 같이 생활해야 하는 그들의 삶을 엿볼 수 있다. 위험한 범인 검거에 목숨을 거는 그들은 책임감 강해야 하는 <경찰>로 불리지만 사실 일반 직장인과 크게 다르지 않은 평범한 사람들이다. 리얼한 경찰 <인생극장>이다.

<청년 경찰>처럼 의욕 충만 혈기 왕성 '기준'과 논리정연 이론 백단 '희열'은 전혀 성격 다른 콤비로 차이와 다름을 보여주며 큰 웃음을 준다.

헐리우드 영화 중 콤비 형사물로는 '멜 깁슨' 주연

콤비 형사물 <리쎌웨폰>(1992) 시리즈, '브루스 윌리스' <다이하드>(1998) 시리즈에도 성격 다른 형사 콤비가 주인공이다. 명절 특수로 성룡의 <폴리스 스토리>(1985) 시리즈도 같은 맥락이다.

대부분 성격 다른 콤비 경찰이 주인공으로 티격태격 매력이야말로 형사 액션 영화를 보는 또 하나의 재미다. 시간되시면 꼭 찾아보시기를 바라고 후회 없는 선택일 것이다.

이 영화를 보면서 행여나 대한민국 사회를 오해할 수도 있겠다 싶다. 도심 밤거리를 걷고 있는 젊은 여성을 승합차로 납치하는 게 아직 가능한 사회인가?

만약 두 열혈 경찰대 청년이 없다면, 미해결 사건이 한건 더 늘 뿐 했다. '원빈' <아저씨>(2010)는 경찰은 아니지만, 홀로 꼬마 여자아이를 목숨 걸고 구한다. 불의를 보고 참지 못하는 정의로운 우리 사회다.

김주환 감독 <청년 경찰>은 '강하늘' '박서준' 아름다운 청년 두 명을 같은 공간에서 보는 매력적인 영화다

배우 '강하늘'은 개성 강하고 코믹하고 우수적인 눈빛을 가진 매력 있는 배우다. 현대물에 익숙한 도시적인 얼굴이지만, 이준익 감독 <동주>를 보고선 사극에도 너무 잘 어울리며 진중한 이미지로

<윤동주>를 연기하는 그를 볼 수 있다.

"이름도 언어도 꿈도 허락되지 않는 어둠의 시
대."

-동주 中(동주(강하늘))

#청년 경찰 #강하늘 #박서준 #2017년 김주환 감
독

26. 동주

"부끄러운 걸 아는 건 부끄러운 것이 아니라,
부끄러운 것을 모르는 것이 부끄러운 것이다."

1943년 일본 후쿠오카 감옥에서 생체 실험으로
목숨을 잃은 '윤동주' 민족시인. 그가 누군지 몰라
도 그가 어떤 삶을 살았는지 생각조차 해 보지 않
아도 '서시'는 한 번쯤 들어서 알 것이다.

죽는 그 날까지 하늘을 우러러
한 점 부끄럼 없기를
잎 새에 이는 바람에도

나는 괴로워했다.

별을 노래하는 마음으로

모든 죽어가는 것을 사랑해야지

그리고 나한테 주어진 길을 걸어가야겠다.

오늘 밤에도 별이 바람에 스치운다.

(시집 『하늘과 바람과 별과 시』 1948)

이준익 감독 흑백 영화 <동주>는 일제시대 '동주'와 '몽규' 사촌 형제 이야기다. 행동하는 독립운동가 '몽규'과 저항시인 '동주' 두 주인공이 다른 삶을 사는 것 같지만 결국 같은 독립운동가들이고 둘은 같은 운명을 맞이하게 된다.

'니는 시를 계속 쓰라. 총은 내가 들 태니'

일제강점기 목숨 건 독립운동이라 함은 대부분 무기를 이용한 저항을 떠올리지만, 문학인 시로서 저항한 유일한 사람 그가 바로 '윤동주' 시인이다. 그리 멀지도 않은 과거이고, 그리 멀지도 않은 장소인 감옥에서 고문당하고 생체 실험 피해를 입은 비극적인 삶을 다한 우리 민족의 잊혀서는 안 될 자랑스러운 청년이자 민족 시인이다.

일제강점기 비극적인 삶을 살다 간 위인을 다룬 영화로는 '이재훈'의 <박열>(2017), '손예진'의

<덕혜옹주>(2019), 정성화의 <영웅>(2022), 고아성의 <항거>(2019), 류준열의 <봉오동 전투>(2019) 등을 보노라면 그 시대 아픔과 가슴 깊숙한 울림을 함께 느낄 수 있다.

영화 <동주>를 보고선 갑자기 국뽕이 벅차 올라온다면 그냥 위에 언급한 영화들로 달려보기를 바란다. 갑자기 애국심이 끓어 올라 전 국토 대장정을 떠날지도 모른다. 나도 영화 <항거>를 보고선 서울 서대문형무소를 당장 방문하고 왔으니 말이다. 사실 그 곳에서 더 놀란 것은 독립운동가만이 감옥에서 고생한 것이 아니고, 민주화 투사들도 그 곳에서 투생한 흔적이 있어 과거와 현재가 연결되는 듯한 느낌이었다.

아직도 여전히 진행 중인 답답한 대한민국의 정치 상황에서 조금 과거로 돌아가서 이렇게 민족의 얼이 훌륭한 분이 선조로 있음을 자랑스럽게 되새기자.

이준익 감독이 연출한 흑백 영화 <동주>는 가슴 먹먹한 자랑스러운 역사의 기록이다.

독립투사 청년으로 윤동주가 존재한다면 독립운동 유관순 누나가 있다. 영화 <항거>를 보면서 고통스러운 시대를 살다 간 민족의 아픔을 함께 나누어 보자.

"감옥에서 만세를 불러. 감옥에서."

-항거 中(유관순(고아성))

#동주 #강하늘 #박정민 #독립운동 #2016년 이준익 감독

27. 항거

"대한 독립 만세"

1919년 일제는 폭압적인 무단통치를 했다. 언론, 출판, 집회, 결사를 자유를 없앴고, 기본권을 탄압했다. 국민들은 나라 잃은 설움이 북받치는 시기였다. 맨몸으로 태극기만 손에 든 체 총칼을 든 일본순사들 앞에서 <대한독립만세>를 외쳤다.

참가한 인원은 약 200만여 명이며, 7,600여 명이 사망했고, 16,000여 명이 부상당했다. 45,000여

명이 체포되었다.

1902년생 류관순 누나는 자신을 잊고 나라와 민족의 아픔을 정면으로 부딪힌 독립투사로 우리가 꼭 기억해야 할 인물이다.

영화 <항거>를 보면 3.1운동으로 잡혀 온 사람들이 3평도 못 되는 감옥에 수십 명이 갇혀 앉지도 못할 공간에서 서로 의지한 채 일어서서 빙빙 돌면서 '아리랑'을 부르는 장면은 가슴 한 칸에서 울분을 부른다. 이 영화는 영화가 아니다. 작가의 상상력도 아니다. 류관순 누나가 실제 일제강점기 당시 역사적 사실이다. 감옥에 갇혀 극심한 고문을 받다가 목숨을 잃어버린 이야기다.

며칠을 좁디좁은 독방에 수감되어 종일 서서 있는 고문을 받는다던가, 날카로운 못이 사방으로 튀어나온 사각형 상자에 쪼그려 갇히는 고문을 받고도 당당했던 류관순 열사의 현장을 보기 위해 서대문 형무소로 달려갔다. 그냥 그곳이 보고 싶었다. 서대문 형무소는 당시의 모습이 온전하지 않지만 일제강점기 느낌만은 충분히 전달받을 수 있다.

영화 <항거>는 이준익 감독 <동거>처럼 흑백영화다. 나라 잃은 슬픔을 경험하지 못한 현 세대가 일제강점기의 설움을 이해할 수는 없다. 말 한마디 잘못하면 곤봉으로 두드려 맞고 짐승보다 못한 하찮은 취급을 당한 류관순이지만 항상 당당하게 맞섰다. 류관순 열사의 흔적을 보면서 마음이 너무 괴로웠다. 친일 앞잡이가 되어 몽둥이 질 하는 녀석이 한국인이기에 말이다. 손발톱이 다 뽑히고, 온몸의 뼈가 부서지는 고통에도 그녀는 <대한독립>을 외쳤다.

"난 죄수가 아니라 전쟁 포로다."
감옥에 수감된 다른 수감자도 물어본다.

"왜 그렇게까지 하느냐고?"
류관순 열사는 말했다.

"그럼 누가 합니까?"

결국 류관순 열사는 만기 출소 이틀을 앞두고 1920년 9월 28일 사망하고 만다. 안치된 시신도 묘지도 찾을 수 없다. 이때 나이가 17세였다.
역사를 잊은 민족에겐 미래가 없다고 하지 않는가? 이승만 정권 당시 반민특위가 제대로 활동만 했어도 일제 잔재와 친일파가 많이 사라졌을 것인데, 아직도 여전한 친일 잔재가 한국 사회의 주류로 남았기에 안타깝다.
현재 코로나 팬더믹(pandemic)이 끝나면서 많은 사람이 해외여행에 나서고 있다. 그 중에서 가장 인기 나라인 일본을 방문한 외국인 중 4명 중 1명이 한국인이라고 한다. 몇 년 전 반도체 부품 수출제한으로 불매 운동이 일어났지만 벌써 다 잊힌 듯하다. 윤석열 정부는 과거 정권과 달리 피해국으로서 먼저 손을 내밀고 있는 형편이다. 독도를 아직도 일본 땅이라고 주장하는 일본 정부와 교과서를 두고 서 말이다. 리가 그냥 넘어가서는 안 될 일들이 벌어지고 있다. 아직도 일본 정부는 위안부에 대해 제대로 된 사과를 하지 않고 있다. 일제시대 독립을 위해 각 분야에서 많은 사람들이 목숨을 잃었다. <항거> <암살> <밀정> 등 일제강점기 독립운동을 배경으로 한 영화도 있지만, 여기에 우리말 지키기 위해 노력한 한글학자도 엄연한 독립운동가들이다. 바로 영화 <말모이>를 추천한다.

"창씨 개명 발표한 지가 언제인데, 이름이 아직도…"

-말모이 中

#항거 #고아성 #김새벽 #류경수 #2019년 조민호 감독

28. 말모이

"말은 민족의 정신이요. 글은 민족의 생명이다."

민족에게 자신의 문화를 계승하기 위해서는 반드시 '글자'가 있어야 한다고 주시경 선생은 말씀하셨다. 만약, 일제강점기를 지나면서 우리 글 한글이 없어졌다고 하면 상상이나 되는가?

한글날 10월 9일은 일제강점기 조선어연구회(조선어학회 전신)에서 매년 음력 9월 29일을 <가갸날>로 정해 기념한 것에서 유래한다.

영화 <말모이>는 1930년대 일제강점기 조선어학

회가 '우리말 사전'을 발간하기까지의 우여곡절을 다루고 있다.

한글학자 류정환(윤계상)은 일본 순사 감시를 전국 사람들로부터 단어를 취합해 <한글 사전>을 만들기 위해 동분서주(東奔西走) 노력한다. 못 미더운 까막눈 동료 김판수(유해진)과 함께 바짝 조여 오는 일제의 감시를 피해 조선어학회 회원들은 무사히 <말모이>를 하여 <한글 사전>을 출간할 수 있을까?

일제 탄압으로 '한글' 잡지마저 폐간하게 되어 전국 회원들이 모일 수 없으니 각 지역 사투리를 학회로 보내달라는 광고를 싣지만 과연 전국에서 얼마나 많은 편지가 도착할 수 있을까?

영화 <말모이>는 극적 긴장감이 팽팽하거나 화려한 액션이 존재하는 영화는 아니다. 마치 연극 무대를 바로 앞자리에 앉아 보는 것 같은 착한 영화다. 역사적 사실을 바탕으로 한 영화기에 공부하는 마음으로 보기를 바란다.

<조선어학회>는 한글 사전을 만들려고 계획한 <주시경 선생님>의 유언을 받들어 후배들이 목숨 걸고 한글을 지키기 위해 노력한 이야기다. 당시 일본 군국주의는 민족문화 말살 정책을 강하게 펼쳤다. 내선일체, 황국신민화, 창씨개명, 일선동조론 등으로 조선을 일본 식민지화하기 위해 모든

노력을 다했다. 실제 조선어학회 소속 많은 회원들이 목숨을 잃고, 고문을 당했다. 그들은 모진 고문에 죽기도 하고 견뎌내면서 오직 <한글>에 더 신경을 썼다.

1945년 8월 15일 해방이 조금만 늦었다면, <한글 사전>이 1947년에 출간되지 못했을지도 모른다. 45년 해방 이후 한글 사전을 출간을 자포자기할 시점에 잃어버린 줄 알았던 당시 전국에서 모인 <한글 자료>를 서울역 창고에서 발견했다. 정말 하늘이 도왔다고 밖에는 할 말이 없다.

'조선이 독립될 거 같으냐? 그게 언제인데?'

친일파 아버지가 묻는 말에 한글 박사 류정환(윤계상)은 답할 수가 없다.

엄유나 감독은 <택시 운전사>(2017) 각본을 썼다. <택시 운전사>와 <말모이>에서 공통적으로 역사속의 위인들의 이야기를 다루기보다 평범한 사람들이 이루어낸 역사의 큰 변곡점을 다루었다.

역사는 결국 이름 없는 서민들이 만드는 법. 한일합방 원흉 '이토 히로부미'는 민족의 원수다. 뮤지컬 영화 <영웅>을 통해 안중근 의사를 더 더욱 존경하게 된다. 한 나라의 군대도 이루지 못한 위대한 행동을 단 한 사람이 이루었다. 영화 <영웅>을 꼭 반드시 보시길..

"조국이 도대체 우리에게 무엇입니까?"

-영웅 中

#말모이 #윤계상 #유해진 #2019년 엄유나 감독

29. 영웅

"누가 죄인인가? 누가 죄인인가?"

1909년 10월 26일 하얼빈역에서 총성이 울린다. 민족의 주적 한국 초대 통감 '이토 히로부미'는 쓰러졌다. 우리가 기억해야 하는 단 한 명의 독립운동가 의사가 있다면 그는 바로 <도마 안중근> 뮤지컬 <영웅>에서 안중근(정성화)이 부른 <누가 죄인인가?>는 가장 유명한 뮤지컬 노래일 것이다.

1. 대한의 국모 명성황후를 시해한 죄,
2. 대한의 황제를 폭력으로 폐위시킨 죄,
3. 을사늑약과 정미늑약을 강제 체결케한 죄,
4. 무고한 대한의 사람들을 대량 학살한 죄,
누가 죄인인가?
5. 조선의 토지와 광산과 산림을 빼앗은 죄,
6. 제일은행권 화폐를 강제로 사용케 한 죄,
7. 보호를 핑계로 대한의 군대를 강제 무장 해제 시킨 죄,
8. 교과서를 빼앗아 불태우고 교육을 방해한 죄,

영화 <영웅>은 이미 오래된 레전드급 뮤지컬을 극화했다. 몇 년 전 뮤지컬 <영웅>을 봤을 때 가슴 저리며 뜨거운 눈물을 흘린 감동을 결코 잊을 수 없었던 차에 영화로도 만들어진다기에 지인들에게 적극 추천했다. 뮤지컬보다 영화가 대중적이기에 국민 모두 필수적으로 봤으면 하는 마음이다.

개인적으로 지금껏 본 뮤지컬 중 <영웅>이 단연 최고로 감동 받은 작품이라고 말하고 싶다. 뮤지컬을 본 사람도 안 본 사람도 영화<영웅>만으로도 큰 감동을 받을 수 있다. 손가락 넷째 마디를 칼로 자르며 <단지 맹세>를 하는 결연한 장면을 보면서 나도 모르게 뜨거운 눈물이 뺨을 타고 흘러내렸다.

일제강점기 배경 영화 중 <암살> <밀정> < 말모이>등이 이름 모를 민초들의 노력을 다루고 있다면, <영웅>은 '이토 히로부미'를 암살한 안중근 의사 일대기를 다룬다. 그는 자신의 목숨을 걸고 직접 실행에 옮겼다. 대한제국 청년 <도마 안중근> 아무나 못할 생각도 못할 행동을 실천한 그는 진정 <영웅>이다.

후손들에게 감옥 내에서 사형당하는 그 순간까지 책을 손에서 놓지 아니한 그는

一日不讀書口中生荊棘 (일일부독서 구중생형극)
(하루라도 독서를 하지 않으면, 입안에 가시가 돋는다)란 말씀을 남겼다.

위대한 행동 뒤에는 그보다 더 위대한 어머니(조마리아)가 있다.
<항소하지 말고, 다음 생애에서 보자>는 말을 과연 자식에게 할 수나 있는 말인가? 불합리한 재판을 받으면서도 안중근 의사는 <나를 범죄자가 아닌 전쟁 포로로 대우해 달라>고 당당하게 말했다. 어쩌면 당연한 요구이지만, 시대적인 상황이 그를 우리 민족을 아프게 했다. 안타까운 점은 당시 중국에서 조차 존경을 표했던 안중근 의사를 매장한 묘를 찾고자 지금까지 노력해왔지만, 일제 농락으

로 위치가 어디인지 그 행방을 알 수도 없다는 현실이다.

세월이 아무리 흘러도 반드시 독립된 조국으로 <안중근 의사>를 모셔와야 한다. 우린 봉오동전투 신화 <홍범도> 장군 유해를 고국으로 모셔온 것처럼 나라를 지킨 선열들에 대한 당연한 의무다.

후대들도 반드시 이를 기억하여 끝까지 <안중근 의사>를 고국으로 모셔와야 할 노력을 해야 할 것이다. 오늘날 대한민국이 자랑스러운 것은 이런 역사가 존재하기 때문이다.

일제강점기를 배경으로 한 영화들이 많지만, <영웅>은 꼭 보아야 할 필수 영화다. 오래전 TV 오락프로그램에 출연한 걸 그룹이 계단 액자에 걸린 '안중근 의사' 초상화를 보고 누구인지 몰라 당황해하는 장면을 TV에서 본 적이 있다. 그녀는 이 사건으로 이미지에 큰 흠집이 생기고 말았다.

"나는 대한 독립을 위해 죽고, 동양 평화를 위해 죽는데 어찌 죽음이 한스럽겠소?"

영화 <영웅>을 보면서 반드시 기억해야 할 역사적인 사실도 배우고 감동도 함께 한다면 1석 2조 효과다.

뮤지컬 영화 <영웅>은 쌍 천만 영화 <해운대>

(2009), <국제시장>(2014)의 감독 윤제균이 연출했다. 항상 코믹적인 요소를 삽입하여 감동과 재미를 동시에 주는 흥행 보증 감독이다.

조국이 독립될 줄 몰랐다는 비겁한 변명을 늘어놓는 이정재 <암살>을 보면서 일제강점기 또 다른 비극을 마주하자. 아직도 우린 일제강점기 어두운 그림자에서 벗어나지 못하고 있지 않은가?

"작전은 5분 안에 끝내고, 우린 살아서 돌아갈 겁니다."

-암살 中(안옥균(전지현))

#영웅 #정성화 #도마 안중근 #2022년 윤제균 감독

30. 암살

"조국이 독립될 줄 몰랐으니까?"

<왜 동지를 배신했냐?>는 안옥윤(전지현)의 물음에 대한 염석진(이정재)의 답이다. 어쩌면 많은 사람들이 그렇게 생각했을 것이다. 1933년 일제 탄압이 가장 극심했던 당시 조선이 독립될 거라고 확신한 사람이 얼마나 될까?

3.1절 104주년이었던 2023년 3월 1일 대한민국

중부 세종특별자치시 한 아파트 베란다에 일장기를 게양한 한국인이 있다는 사실을 아는가? 식민지배에 대한 분노가 아직 가슴 깊은 곳에 남아있는 한국에서 자신 기분에 따라서 행동해야 할 것과 못할 것을 구분도 못하는 인간이 같은 공간에 산다는 사실이 부끄럽지 않은가?

생각해보면, 이런 사람이 일제강점기에 살았다면....

<암살>에서 처음부터 염석진은 배신자가 아니었다. 그는 사실 독립운동가였다. 하지만, 일본 서장 암살에 실패하고 도주하다가 체포된 뒤 일제에 회유되고 말았고 임시정부에 침투해 '밀정(密偵)'이 되고 말았다.

"독립될 줄 몰랐으니까?"

친일 앞잡이를 처단하기 위해 임시정부 수장 김구와 밀양 사람 김원봉은 독립투사 3명을 선발하여 경성으로 은밀하게 보낸다. <암살>에서 가장 반가운 인물은 열사 김원봉이다. 지금까지 그를 다룬 영화는 <암살>이 유일하지 않을까? 일제가 가장 두렵고 무서워한 독립운동가였음에도, 일본 패망 광복 이후 독립된 국가에서 억울하게 빨갱이로 몰려 오히려 북으로 월북하고 말았다. 이후 그의 생사 확인이 불가능하게 되었다.

임시정부 내 밀정으로 '김구'에게 의심을 받게 된 '염석진'은 직접 독립투사 3명을 제거할 생각으로 본인도 경성으로 향했다. 비밀 작전은 성공할 수 있을 것인가?

1949년 '반민족행위 특별조사위원회'는 친일 부역자 '염석진'을 처단하려고 했지만, 풀어 줄 수밖에 없다. 자신 몸에 박힌 총알 자국으로 어필한 그의 웅변에 모두 설득되고 말았다. 당시 이승만 정권이 반민특위를 해체하지만 않았어도 지금 친일파들이 이 정도로 활개 치고 다니지 못할 것인데..

이 영화가 카타르시스를 제공하는 것은 극적으로 살아남은 안옥균이 오래전 백범 김구 명령인 '염석진이 밀정이면, 제거하라'를 실행함으로써 관객들에게 친일 앞잡이를 처단했다는 짜릿한 쾌감을 준다. 나쁜 놈들이 안타깝게도 잘 살아남았다는 허무감을 주는 것이 아니라, 죽였다는 응징했다는 쾌감을 이루는 '최동훈' 감독 스타일이 좋다.

이 영화는 일제강점기에 활동했던 수많은 독립운동가들 중 삶의 이야기가 남겨지지 않는 독립투사의 삶을 그렸다. 우리가 기억하는 독립운동가보다 훨씬 많은 독립운동가들이 음지에서 활동했을 것이다.

최동훈 감독은 <범죄의 재구성>(2004), <타

짜>(2006), <전우치>(2009), <도둑들>(2012), <외계인>(2022)을 연출했고, 줄곧 흥행 가도를 달리다가 최근 <외계+인>에서 주춤했지만, 개인적으로는 재밌게 봤다.

<암살>은 무명 독립운동가 활동을 그린 점에서 자랑스러워해야 할 영화다. 또한 영화 <암살>과 더불어 일제강점기 밀정을 다룬 영화는 제목 그대로 <밀정>이 또한 최고의 한 편이다. 물론 <유령>(2023)이란 영화가 최근 상영되었지만, 그 긴장감은 <밀정>에 훨씬 못 미친다.

"적인가? 동지인가?"

-밀정 中

#암살 #이정재#전지현 #조진웅 #하정우 #오달수 #이경영 #2015년 최동훈 감독

31. 밀정

"의열단의 이름으로 적의 밀정을 처단한다."

도대체 누가 독립 운동가이고? 누가 밀정인가?
1923년 일본제국은 민족 독립군대 말살 정책으로
더욱 어려운 지경에 놓인 임시정부 요원과 독립운
동가들.
일본 경부 이정출(송강호)은 과거 전력은 사실 임
시정부 통역가였다. 현재는 친일 경찰 앞잡이로

변신하여, 독립운동가 검거에 앞장 서 있다. 의열단 대장인 김우진(공유)은 일제 경찰 심장부 종로경찰서를 폭파시키기 위해 상하이에서 경성으로 폭탄을 몰래 대량 밀반입해야 하는 상황이다.

이 영화는 실제 사건인 '황옥 경부 폭파 사건'을 모티브로 한다. 실존 인물이었던 '황옥'은 지금까지도 그가 독립운동가인지 친일 첩자인지 완전한 평가가 이루어지지 않았다. 동지를 배신하고 정보를 일제에 제공하는 친일파가 되는 순간 자신의 인생이 한순간에 뒤바뀌는 시대. 많은 항일 운동하던 사람들이 그것을 실제로 목격했고, 항일과 친일 사이에서 갈등도 많이 했을 것이다.

영화 <밀정>에서 이정출은 이중간첩이 맞는 걸까? 밀정은 도대체 누구인가? 누가 조직을 배신했을까? 중국 상하이에서 폭탄을 몰래 들여오는 독립투사들은 신의주로 향하는 열차 안에서 하시모토(엄태구)에게 발각될 위기에 처한다. 긴박하게 숨죽이며 이동하는 열차 내 우리 편에 숨어든 일제 첩자를 색출해야 하고, 일본 순사는 무장 독립운동가를 붙잡아야 하는 정말 손에 땀을 쥐게 하는 긴장된 장면의 연속이다.

영화 <미션 임파서블>에서 긴박하게 이루어지는 내부 첩자 색출 장면과 비교해도 전혀 뒤처지지 않는다. 사실 <미션 임파서블>은 얼굴 가면이라는 반칙을 썼다.

<밀정>에서는 그런 비겁한 가면으로 상대방을 속여 첩자를 가리는 것이 아닌 속고 속이는 오로지 심리 정보전으로 첩자를 가려낸다. 일제가 최고로 두려워한 독립운동단체는 '의열단'의 무장투쟁이었다. 의열단장 '김원봉'으로 까메오 출연한 영화 <좋은 놈 나쁜 놈 이상한 놈> '이병헌'의 등장은 신의 한 수였다.

공유, 송강호, 이병헌이 만나 술자리를 갖는 장면은 상상조차 못 한 최고 순간이었다.

의열단장 김원봉(이병헌)이 이정출(송강호)를 만나 건넨 첫마디

"오랜만이요?"

헉 이것은 '놈놈놈' 이후에 오랜만이란 것처럼 이미지가 겹쳐진다. 왜냐면 <오랜만 일리가 없지> 않은가?

김지운 감독은 <놈 놈 놈>(2008), <악마를 보았다>(2010), <달콤한 인생>(2005)에서 배우 이병헌이 주연으로 출연했다. 또한 <조용한 가족> (1998), <반칙왕>(2000), <놈 놈 놈>에서 배우 송

강호와 함께 했다.

일제강점기 1920년은 그리 먼 오래전 과거가 아니다. 아직도 현재 진행형인 친일 청산과 위안부에 대한 사과가 이루어지지도 않았다. 어쩌면 잊힌 일반 독립투사들의 숨겨진 활동을 이런 영화를 통해서나마 기억해주는 것이 우리가 해야 할 일이 아닐까?

배우 '공유'는 스펙트럼이 넓은 배우다. 좀비 물을 극혐 하지만 한국 정서에 맞춘 영화 <부산행>은 볼 만하다. 내가 좀비 영화를 보면서, 감동의 눈물을 흘리다니.

"지금 같은 대에는 자기 자신이 제일 우선이야."

-부산행 中

#밀정 #송강호 #공유 #한지민 #2016년 김지운 감독

32. 부산행

"여러분 행운을 빕니다."

오래전부터 주말이면 습관적으로 조조영화를 보기 위해 이른 아침 집을 나선다. 정신을 깨우기 위해 근처 카페에서 '카페라떼'를 주문하고 극장을 찾는 나로서는 절대 회피하는 영화가 <좀비물>과 <공포 영화류>다.

<새벽의 저주>(1978)라는 레전드급 좀비 영화가 유행할 적에도 절대 VCR 비디오 대여조차 볼 생각하지 않았고, <쏘우>(2005)가 시리즈로 개봉할 때도 눈깔 생각만으로도 몸서리쳐졌다. 과거부터 지금까지도 안 봤지만, 앞으로 볼 계획도 없던 터였다.

하지만, 영화 <부산행>을 보고는 완전 생각이 달라졌다. 부산행 KTX 특수한 실내 공간 내에서 일어나는 인간 군상들의 다툼은 평소 상상하는 개연성 없는 좀비물 영화와 달리 가족, 의리, 우정 등과 함께 상상하지 못할 일들이 복잡하게 뒤엉켜 발생한다.

특히 영화 중 가장 친한 친구가 갑자기 좀비가 되어버려 나를 물려고 덤벼들 때, 방망이로 그 친구를 때려야 하는 안타까운 마음이 확 와닿았다. 아내 특히 딸을 구하기 위해 최선을 다한 상화(마동석)에게

"아빠는 너무 이기적이야."

사랑하는 딸이 한 말에 맘 찐한 감정이 훅 들어왔다. 엔딩 장면에 가족을 위해 기차 뒤 칸에 매달려 자신을 희생하는 석우(공유)를 보면서 감동의 눈물이 흘렀다. 좀비 영화를 보고 눈물을 흘리는

내 모습이 낯설기까지 하다. 아버지의 사랑은 그런 것이다.

이 영화는 분명 우리가 아는 흔한 좀비물이 아니라 현대 K좀비물 영화다. 느릿느릿하지도 흐리멍덩하지도 않고 뛰어다니는 좀비들이다.

초반 좀비 까메오(cameo)로 잠시 등장한 KTX 승무원을 영화가 끝난 이후에도 누구인지 알아보지 못했다. 그 좀비가 '심은경'이었다고? 이런 장면이 바로 특별출연.

지금껏 좀비 영화 중 그래도 인간적이었던 영화는 '윌 스미스' <나는 전설이다(I Am Legend)>(2007) 결국 좀비도 사랑을 위해 그렇게까지 희생하는구나 모습을 보여주었고, '니콜라스 홀트' <웜바디스(Warm Bodies)>(2012)에서도 서툰 심장 뛰는 로맨스 좀비물을 볼 수 있었다. 내가 인정한 좀비 영화 2편이다.

'브레드 피트' <월드워Z(World War Z)>(2013), '장동건' <창궐>(2018), '유아인' <살아있다>(2020)는 정말 입에 담기도 싫은 좀비 영화다. 내가 좀비 영화에 편견을 가진 그대로를 보여준 영화다. 무섭지도 않고 재미가 있지도 않지만 물고 뜯는 잔인한 장면만이 가득한 스크린에서 눈을 돌리고 말았다. 다시 좀비 영화는 절대 비추. 특히 배우만 보고 선택했다가 완전 실망한 또 하나의 좀비 영화.

'맷 데이먼'의 <그레이트 월(The Great Wall)>(2016)이다.

하여튼 그동안 좀비물에 실망을 거듭하고 무릇 영화라 함은 관객들과의 공감이 절대적일 텐데, 도저히 좀비에 감정이입은… 하지만, 영화 <부산행>은 정말 달랐다.

지금 넷플릭스 영화 <정이>로 전 세계 1위를 한 '연상호' 감독이 연출했다. 그가 감독한 최고의 한 편은 <부산행>이 아닐까? 왠지 SF적인 감독으로 내 기억에는 남을 것 같다.

<범죄도시>에서 미팅에 진심이었던 '마동석'형사가 결국 결혼한 몇 년 후에 딸과 임신한 아내를 둔 남편으로 <부산행>에 출연한 느낌이다.

마치 <범죄도시>에서 미팅한 상대가 '정유미'이고 결혼해서 친정으로 향하는 '부산행' 기차를 타고 가다가 이런 일이 생겼다는 설정이면 더 재밌지 않았을까 하는 상상을 해본다.

연상호 감독은 <서울역>(2016), <반도>(2020),<염력>(2018), <정이>(2022)을 연출했다.

마동석이 연기한 <부산행>을 보면서 <범죄도시> 무쇠 팔 마석도와 마블 <이터널스>가 생각났다. 물론 개봉 시기는 <부산행>이 1년 빠르다. 만약 <범죄도시> <이터널스>를 먼저 개봉했다면, 좀비를 때려잡는 마동석을 더 이해하기 쉽지 않았을까?

"경찰이란게 뭐야. 민중의 몽둥이 아냐."

-범죄도시 中(마석도)

#부산행 #공유 #마동석 #정유미 #2020년 연상호
감독

33. 범죄도시

"혼자 야" (장첸)
"어 나 싱글이야" (마석도)

연변 조폭 두목 장첸(윤계상)은 한국 생활을 급하
게 정리하고, 다시 중국으로 도피하기 위해 돈만
챙기고 인천공항으로 향했다. 이제 중국행 비행기
에 탑승만 하면 '장첸'으로선 해피엔딩이다. 하지
만 긴장된 순간은 항상 소변이 마려운 법이다. 공
항 화장실 무쇠팔 형사 마석도(마동석)를 맞닥 들

이게 되고 서로 주고 받는 영화 <범죄도시 1편> 시그니처 대화다.

괴물 형사 마석도(마동석)는 이제 <범죄도시> 시리즈를 이끈다. 이미 3편(2023)이 개봉했고, 가뿐히 천만 관객을 돌파했다. 이제 4편으로 달려간다.

관객들도 <가리봉동 1편>을 보면서 이미 <베트남 2편>을 기대했다. 역시 기대만큼 오히려 기대를 넘어 '장첸'을 능가하는 빌런 '강해상'이 나타났고 '손석구'를 스타로 만들었다.

"돈 필요하니? 5대5로 나눌까?"(강해상)
"어 누가 5야?"(마석도)
<범죄도시2> 대미를 장식할 시내버스 내 마지막 결투에 앞서 강해상과 마석도가 나눈 시그니처 대화다. 마치 전편 인천 공항 화장실 씬 중에서 "혼자야" 대화가 떠오른다.

헐리우드 마블 공화국에는 <아이언 맨(Iron Man)> (로버트 다우 주니어)이 있다면, 한국 영화에는 <범죄도시> 형사 마석도가 있다. <아이언 맨>은 현실에 존재하지 않는 가공의 인물이고 상상의 액션을 보여주는 반면, 마석도는 현실에 존재할 것 같은 인물이고 UFC 액션이다.

개봉 당시 코로나 시국에도 불구하고 관객 천만

명이 극장으로 향했다. 1편 배경은 2007년 서울 구로구 가리봉동을 배경으로 하며 실제 그곳 차이나타운에서 활동했던 중국 폭력조직이 있었고 날로 흉포화 가던 조선족을 대상으로 한 범죄 조직 소탕 작전을 실제 모티브로 했다. 믿음직한 공권력을 대표하여 마석도 형사가 정의 주먹을 멋지고 통쾌하게 날려 양아치 조폭 조직들을 물리친다. 우리가 바라는 이상적인 경찰상이 아닌가 한다.

'키아누 리버스'의 <존윅>, '원빈'의 <아저씨> 같이 총알이 난무하는 비현실적 영화가 아닌 오직 주먹 하나로 악을 응징하는 우리 이웃 아저씨 같은 모습과 액션에 친근감도 간다.

<범죄도시>를 보면서 <투캅스>(1993)와 <공공의 적>(2002) 같은 형사 액션물도 생각났지만, <마석도> 같은 영웅적인 인물이 탄생하진 못했다. <범죄도시>는 실제 2007년 차이나타운 범죄조직 소탕 작전을 바탕으로 한다. 범죄 현장에 나타나는 마석도 그 자체로 이미 해결사 역할을 다한 느낌이다. 그가 등장하는 순간 우리 편도 긴장한다. 그가 등장하는 순간 악당은 온 몸이 굳는다. 그가 등장하는 순간 관객들은 탄성을 지르면서 어떤 호쾌한 장면이 나올까 기대심이 한껏 올라 간다.

1편이 국내 범죄라면 2편에서는 국외 베트남으로

떠났다. 3편은 일본 야쿠자 조직을 상대한다. 2편에서 강해상(손석구)은 장첸(윤계상)을 뛰어넘었다. 워낙 강렬했던 장첸 이미지마저 강해상이 뛰어넘었다. 범죄도시 시리즈가 나날이 갈수록 기대되는 이유다. <범죄도시 3편>뿐만 아니라, <범죄도시> 시리즈가 몇 편까지 이어갈지도 기대된다.

배우 손석구는 TV 드라마 <나의 해방일지>에서 '구씨'로 시작된 인기 붐이 <범죄도시>로 연결되어 대한민국 최고 배우에서 세계적인 배우로 이름을 알리게 되었다. 사실 드라마 <멜로가 체질>에서 독특한 화법으로 그의 이미지를 기억하는 사람도 이미 많았다.

배우 '마동석'이 주먹으로 사건을 해결했던 첫 영화는 아마도 웹툰을 원작으로 한 <이웃사람>이 아닐까?

"차 빼"

- 이웃사람 中(안혁모(마동석))

#범죄도시 #마동석 #윤계상 #2017년 강윤성 감독

34. 이웃사람

"물 안 나와. 좀 씻고 다녀"

악취 꼬린 내가 날 것 같은 옷매무새와 날카로운
눈매가 누가 봐도 범죄자처럼 보이는 사람에게 강
한 멘트를 하는 이런 이웃 아저씨(마동석)가 '내
이웃이라면 얼마나 좋을까?'라는 상상을 해본다.
아파트 장애인 주차구역에 승용차를 주차한 차주

에게 얼릉 '차 빼라'는 마석도가 아니 안혁모(마동석)가 등장한다. '차 빼라'는 불친절한 말에 기분 나쁜 표정을 하고선 시비를 걸고 싶었지만 이미 그는 안혁모의 상대가 아니다. 그는 직업이 '경찰'도 아니다. 영화 제목처럼 <이웃사람>이다.

프로야구팀 두산 베어스 '오재원', 롯데자이언츠 '황성빈', 한화 이글스 '정근우' 같은 꿀밤 한 대 치고 싶은 선수 느낌이다. 하지만, 상대팀이면 너무 얄밉지만, 국가대표로 나서 우리 편이 된 그를 보면 너무 만족스럽다. <이웃사람> 주인공은 안혁모지만, 마석도가 이웃에 사는 느낌이다.

낡고 허름한 곧 재개발을 앞둔 무너질 것 같은 아파트 <강산 맨션>에는 연쇄 살인범 류승혁(김승균)이 102호에 살고 있다. 아파트 관리실 경비원(천호진)도 진작에 그가 범죄자인 것을 눈치 챘다. 피자집 배달원조차도 그를 살인자로 의심한다. 우리 이웃 모두 그가 살인자인지 긴가민가하면서 의심의 눈초리를 보내는 중이다. 하지만 주민들은 각자 남몰래 사연들을 간직한 채로 그 범죄자와 엮이고 싶지 않아 한다. 나도 그렇다.

영화 <이웃사람>은 만화가 '강풀' 원작 스릴러 인기 '웹툰'이다. MBC 예능 프로그램 '나 혼자 산다'에서 보듯이 대한민국 1인 가구가 40%를 넘은 요즘 세태에서 <이웃사람>이 주는 느낌은 개봉 당시 2012년과 많이 남다르다. 점점 내 이웃에 누가 사는지 관심도 없고 알지도 못한다.

영화 <이웃사람>은 곧 재건축해야 할 낡은 아파트를 배경으로 한 음침한 환경을 배경으로 범죄자가 살 것 같은 설정을 주었다. 하지만 실상 화려한 도심 주거 공간 한 복판에 위치한 아파트나 오피스텔에 사는 <1인 가구>도 범죄자가 두렵기는 마찬가지다. 어쩌면 사는 환경과는 전혀 관계가 없는 일 일지도 모른다.

범인은 반드시 사건 현장에 증거물을 남긴다. 갑자기 수도세가 어마어마하게 나오는 이유는 분명 시체를 토막 낸 증거일 것이다. SBS 시사 교양프로그램<그것이 알고 싶다>에서 항상 반복되는 현장 증거 레파토리다. 최근 남편 살해 협의로 무기 징역을 받은 '고유정'도 제주도 펜션에서 그랬다.

영화 <이웃사람>을 보면서 든 생각은 정말 내 이웃에 어떤 사람이 사는지 알지 못하고, 모른다는 무지가 더 한 두려움을 느낄지도 모를 일이다.

아래층 윗층 한 때 이웃이었지만, <층간 소음 살인 사건>이 벌어지는 것도, 부산 오피스텔에서 일어난 알지도 못하는 사람으로부터 돌려차기 살인미수 <묻지 마 살인 사건>도 현재 진행형이다. 사실 영화에서는 누가 봐도 연쇄 살인범 분장하여 흉악하게 보이게끔 묘사되었지만, 현실은 말끔한

차림의 친절한 이웃으로 다가올 것이다.

영화가 더 현실 같은 느낌을 주고, 현실이 더 영화 같은 일상이 되어가는 형국이다. 영화 <추격자> 사이코 패스 평범한 얼굴 '하정우'처럼 말이다.

사실 영화 <이웃사람>에서 우리 이웃들은 모두 어떤 말하기 어려운 아픈 사연들을 가지고 있다.

'내가 먼저 손을 내밀지 않는다면, 이웃은 남이 되고, 내가 손을 내민다면 우리 이웃은 멀리 떨어진 가족보다 낫지 않을까? '

'내가 죽인 여학생이 일주일 째 집으로 돌아가고 있다.'

가족이 소중한 만큼 도움이 필요한 이웃에도 먼저 따뜻한 손길을 내밀어 보자.

'모두 나의 선택이다.'

배우 마동석은 다작하는 배우이고, 같은 역할로 많이 출연했다. 그 영화가 그 영화인 느낌은 나만 그런가? <두 남자>(2016), <챔피언>(2018), <원더풀 고스트>(2018), <동네 사람들>(2018), <성난황

소>(2018), <악인전>(2019), <시동>(2019), <압구정>(2022)등 많은 영화들이 있지만, <이웃사람>만 봐도 캐릭터 설명이 충분하다.

김휘 감독은 <석조저택 살인사건>(2017)을 연출한 감독이다.

결은 좀 다르지만, 한번 폭력 전과자가 되면, 영원히 고통 받아야 하는가? 영화 <해바라기>에서 배우 '김래원'은 과거에 저지른 살인 사건을 깊이 반성하고 새롭게 살기 위해 노력했으나, 동네 사람들은 그를 지속적으로 의심을 눈초리로 바라보고 괴롭힌다. 그의 참을 수 있는 한계가 어디인지 나도 같이 견뎌내는 느낌이다. 마지막 명장면은 정말 카타르시스를 준다.

"형은 잠시 나가 있어"

-해바라기 中(태식(김래원))

#이웃사람 #마동석 #김성균 #김새론 #2012년 김휘 감독

35. 해바라기

"꼭 그렇게 다 가져가야만, 속이 후련했냐"

경남 '김해'란 도시를 배경으로 한 영화로 과거에 건달 양아치 태식(김래원)은 그냥 싸움꾼이었다. 어느 날 같은 동네 양아치 건달들과 시비 끝에 폭력 싸움에 휘말려 우발적으로 살인을 저지르고 만다. 결국 감옥에서 10년이란 세월을 참회하면서 수감 생활을 보내고, 이에 모범수로 가석방되어 출소한다.

10년이면 강산(江山)도 변한다는 세월인데, 디지털로 빠르게 전환되는 현재에 사회생활이 가능할까? 그는 마치 과거에서 온 원시인처럼 사람들 사이를 겉돌게 된다. 대중 사우나에서 디지털 옷장 키 사용법을 몰라 어쩔 줄 몰라 하기도 한다. 아들을 죽인 자신을 용서해주고 마치 친아들처럼 교도소 면회를 와 준 김해숙(덕자)의 식당을 찾아간다. 그렇게 덕자의 딸(희주)과 세 식구가 '해바라기 식당'에서 함께 지내게 된다.

이 영화에서 '해바라기 식당'의 존재는 가족의 전부이고 외톨이 '태식'의 유일한 보금자리다. 하지만, 감옥 갔던 '오태식'이 다시 고향으로 돌아왔다는 소식을 듣고 그가 없는 동안 새로운 권력으로 재편된 동네 양아치 건달 세계는 폭풍전야처럼 긴장되었다. 모두가 오태식의 일거일투족을 감시해 보지만, 오태식은 이제 과거 양아치였던 그 태식이 아니었다. 새 마음을 다잡고 개과천선(改過遷善)하여 가족과 행복하게 살면서 감옥에서 10년 동안 적은 버킷 리스트를 실천하고 싶은 마음뿐인 태식이 보였다.

'절대 술 마시지 않고, 싸움 하지 않는다.'

온갖 악행과 비리를 저지르던 동네 조직 우두머리 조판수는 대형 이권이 담긴 재개발에 방해되는 덕자의 보금자리 '해바라기 식당'이 눈에 가시다. 이 식당을 강제로 수용시키기 위해 그녀의 하나뿐인 딸 '희주'에게 위해를 가하고 '덕자'마저 죽게 만든다. 사나이 인내심, 지켜보는 관객의 한계심도 시험하게 하는 영화 <해바라기>.

가족을 건드린 이상, 이제 더 이상 억눌렀던 분노를 참을 이유가 없어진 태식은 나이트클럽 '오라클' 개업식에 모인 조직원들을 응징하기 위해 혈혈단신 쳐들어가게 된다.

진짜 사나이의 분노를 보여준 영화 <해바라기>. 내가 당신이 태식이라도 도저히 못 참았을 것이다.

정말 조용히 가족과 행복하게 살려고 했는데, 세상은 나를 그냥 두지 않았다. 배우 '김래원'의 조금 느린 말투는 10년 만에 가석방된 사회 부적응자 역할로 딱 안성맞춤이다.

"아무리 나를 건드려봐라. 다 참을 수 있다."

동네 고등학생 양아치가 건드려도, 이제 나는 과거 양아치 오태식이 아니다. 몸에 문신이 한가득하지만 모두 과거의 일이다. 참고 참고 그래 다

참았다.

하지만, 마지막 가족을 다 잃고서는 이제 참을 이유가 사라졌다. 가족을 건드리는 것은 아니지. '태식'의 화끈한 복수는 지켜보던 관객들로 하여금 사이다 카타르시스를 제공한다. 화려하게 오픈한 나이트클럽 '오라클'이 활활 불타오르는 순간 목구멍에 꽉 막혀 있던 고구마가 한 순간에 사라진다. 관객들도 다 이해한다. 태식의 복수를.

배우 김래원은 고급스런 깡패 역활도 잘 어울리는 듯하다. 양아치스러운 조직 폭력배가 아니라, 상류층 조폭 느낌이라도 잘 어울린다는 말이다. 경찰과 조직 폭력배를 다룬 영화로 일명 언더커버 영화인 <무간도>(2002)와 그에 비견되는 <신세계>(2013)란 영화가 있지만, 폭력조직에서 억지로 조직원을 경찰이 되게 만든 <미스터 소크라테스>(2005)란 영화도 있다. '김래원'이 언더 커버처럼 조폭이 열심히 공부해서 경찰에 합격한 이야기다. 설마 <무간도>를 허접하게 표절한 것은 아니겠지? 추천 영화는 아니다. 실망할 것이다.

그것보다 김래원, 이민호가 어린 시절 의형제로 자랐지만, 서로 상대 조직 폭력배의 세계로 빠진 유하 감독 <강남1970>을 보자. 서울 강남 개발 이전의 낯선 강남 모습과 정치 상황을 볼 수 있다.

"땅, 돈, 용기 끝까지 한번 가 보자!"

-강남 1970 中(종대(이민호))

#해바라기 #김래원 #김혜숙 #2009년 강석범 김
독

36. 강남1970

'그때 강남에 땅이나 아파트 하나 사 두는 건데..'

-내 생각

유하 감독 거리 시리즈 3부작 중 마지막 편이다.
<말죽거리 잔혹사>(2004), <비열한 거리>(2006)
그리고 <강남1970>(2015)다.
종대(이민호)와 용기(김래원)는 가난한 판자 집에
서 어린 시절을 함께 보냈지만, 어쩌다 헤어지게
되었고, 세월이 흘러 상대 조폭 정치조직 상대로

만나게 된다.

1970년대 정치판은 깡패와 함께 하던 시대였다. 정치 깡패 이정재가 판을 치던 당시다. 전당대회에는 늘 깡패 조직이 동원되어 세를 불리기도 하고, 상대편을 두드려 패기도 하던 당시다.

강남 논밭이 평당 3,000원이라고 영화에선 묘사한다. 이 시대 강남 개발을 배경으로 이루어지는 두 형제의 중상모략과 험난한 가정사는 시대의 아픔으로 비춰진다.

지금도 읽혀지는 명작인 조세희 작가 <난장이가 쏘아 올린 작은 공>, 일명 <난쏘공>에선 재개발로 자신의 고향에 쫓겨난 비극을 70년대 시각으로 이야기했지만 어쩌면 2020년대에도 진행형이다. 조세희 작가는 이 책이 안 팔리길 희망한다고 말하기도 했다. 물론 영화 <강남1970>은 가해자의 입장이고, <난쏘공>은 피해자의 입장이다. 이재명 영화라고 놀림 받는 <아수라>(2016)도 재개발을 둘러싼 양아치들의 아귀다툼을 다루는 내용이다.

"우리가 깡패지만, 정치권과 어울리지 마라. 위험하다."

종대 양아버지는 자신의 경험을 바탕으로 충고를 한다.

영화 <강남1970> 이야기는 단순구조이지만, 정치 권력과 깡패 조직 사이에서 방황하는 두 청년의 파란 만장한 인생을 엿볼 수 있다.

사실 이 영화를 추천하는 이유는 대한민국에서 '강남'이 황무지일 때 토지 개발이란 곶감을 차기 하기 위해 온갖 정치권 비리와 개인의 사리사욕이 어떻게 판을 쳤는지 보여주기 때문이다. 쓸쩍 영화 <해바라기>(2006) 오태식(김래원) 캐릭터의 연장선이 아닌가 싶기도 하다.

<강남1970>은 유하 감독 거리 시리즈의 완결 편이다. 유하 감독은 기본적으로 의리, 우정, 명예같은 거창한 단어에는 매몰되지 않는 사람 같다. 배신이 난무하는 것을 보면 말이다.

<말죽거리 잔혹사>에서 권상우가 이정진의 뒤통수를 치는 장면이 그렇고, <비열한 거리>에선 남궁민이 조인성의 비밀을 이용해 흥행 감독이 되는 것이 그렇다. 그는 그저 인간성 밑바닥 본성을 보여주려고 하는 것 같다.

유하 감독은 남성적인 매력을 뿜는 영화에서 그 빛을 발하는 것 같다. 그의 차기작이 기대된다.

이 영화가 어릴 적 같이 자랐지만 상대 조직으로 성장하는 바람에 결국 원수로 만나게 되어 강남을 둘러싼 이전투구를 그렸다면, 초등학교 친구가 자라서 <이장과 군수>로 재회하게 되는 영화가 있다. '차승원'과 '유해진' 우정이 돋보이는 웃기는 영화다. 아마도 두 분은 이 영화로 친분을 쌓아 예능 프로그램 <삼시 세끼>에서 천생연분 케미를 보여주었다.

"우리도 젊은 이장 뽑아야제."

-이장과 군수 中

#강남1970 #김래원 #이민호 #2015년 유하감독

37. 이장과 군수

"이장이야 너 가."

영화배우 치고는 참 못 생긴 배우 '유해진'과 영화배우 치고는 너무 키 크고 잘 생긴 '차승원'이 만났다. 예능 프로<삼시세끼>에서도 찰떡 콤비 티키타카를 보면서

"저 두 사람은 언제부터 친해졌을까? "

하는 궁금증을 불러 일으켰다. 흔히 부랄 친구는

꼭 같은 고향 친구일 필요는 없는가 보다. 마음이 통하는 친구가 가장 좋은 친구이고 우정일 것이다. 알려진 바로는 <이장과 군수>란 영화를 기점으로 둘은 친구가 되었다고 한다. 행여나 이미 둘이 친구 사이인 것을 알고 이 영화에 캐스팅한 것인지도 모를 일이다.

한국 코미디 영화계의 독보적인 배우를 꼽는다면 가장 기억나는 사람 누구인가? 오달수? 유해진? 마동석? 송강호? 고창석? 성동일? 권상우?

배우 '차승원'은 이미 <광복절 특사>(2002)에서 '설경구'와 함께 독보적인 코믹 감각을 선보였다. 기럭지까지 우수한 핸섬한 모델 비주얼에 코미디 역을 소화하기가 쉽지는 않을 텐데, 웬만한 개그맨을 능가하는 그런 배우가 여기 '차승원'이다.

<무한도전>에 출연해 연탄 배달을 하면서 '유재석'보다 더 웃기기까지 한다. <놀면 뭐하니?>에서 '마 이사님'으로 짜장면 먹방 존재감을 보여주었다.

영화 <이장과 군수> 초등학생 시절 잘 생기고 공부 잘한 인싸(차승원)와 공부 못하고 못생긴 아싸(유해진)가 성인이 된 후 영화 제목처럼 '이장과 군수'로 만나게 되는 코믹스런 이야기다. 가끔 동창 모임에 나가면 정말 저런 경우가 있다. 인싸 반장이었던 춘삼(차승원)은 마을 '이장'이 되었고,

아싸 부반장이었던 찌질이 노대규(유해진)은 시골 권력 상징인 '군수'가 되었다. 군수는 마을 이장 민원사항 특히 친구로서 부탁인 '비포장 도로 공사' 조차 들어주지 않자, 앙심을 품게 되어 군수에게 정치적인 위상이 걸린 '방폐장 유치계획'을 주민들과 함께 목숨 건 반대 투쟁을 하게 된다. 단식투쟁, 분신시위 등으로 위협하면서 둘 사이는 강대강 대치한다. 과연 초등학교 시절 우정으로 뭉친 두 사람이 다시 화해를 할 수 있을까?

차승원표 코믹 연기 최고봉은 <이장과 군수>가 아닐까? <광복절 특사>(2002), <신라의 달밤>(2001), <선생 김봉두>(2003)에서 보여준 코믹연기가 배우 '차승원'에 각인되어 <독전>(2018)에서 '이선생'이라고 구라를 쳐도 도무지 믿기지 않았다.

<이장과 군수>가 보여주는 감동 스토리는 '우정'이란 뭘까 생각하게 한다. 푸른하늘 시골마을을 배경으로 펼쳐지는 마을 사람들의 순박함은 코믹한 상황과 어울려져 신선한 청량감을 안겨준다. 진지한 '유해진'도 우습고, 마치 '짐 캐리' 같은 얼굴 표정을 짓는 '차승원'은 더 우습다.

감독 장규성은 기본적으로 코미디 영화를 좋아하나보다. 최근작 <바람 바람 바람>(2018)이 있고, 오래전에는 <선생 김봉두>(2003)가 있다.

차승원와 유해진이 찐 우정으로 지금껏 유지되는 것을 우리 모두 다 알기에 다시 이 영화를 보면 둘의 리즈시절? 감정이 다시 떠오른다. <신라의 달밤>은 더 리즈시절의 차승원을 볼 수 있다.

"니 뭐꼬?"

-신라의 달밤 中

#이장과 군수 #차승원 #유해진 #2007년 장규성 감독

38. 신라의 달밤

"나가자 나가자"

마왕 고(故) 신해철님 무한궤도 '그대에게' OST 배경 음악이 좋다. 김혜수, 차승원, 이성재가 출연한 영화 <신라의 달밤>은 코믹 로맨스물이다. 제목에서 알 수 있는 것처럼 삼국시대 신라의 수도 '경주'가 배경인 영화다.

<경주>란 도시를 배경으로 한 영화는 그냥 심심풀이처럼 보게 되는 매력적인 무언가가 존재한다. 마치 예능 프로그램 <삼시세끼>처럼 말이다. 그렇다고 영화가 재미없다는 뜻은 아니다. 흔히 '경주'하

면 떠오르는 옛 신라시대의 유적들인 왕릉, 첨성대, 불국사, 안압지, 남산 등을 배경으로 볼 수 있다는 말이다.

심지어 영화 제목마저 <경주>(2014)란 영화가 있기도 하다. 주인공은 '박해일'. 내용이 잘 생각나지 않지만 말이다.

이 영화는 2001년 개봉한 영화로 무려 20년이란 시공간 차이가 있기에 아주 올드한 유치 감성과 지금은 중년 배우들의 전성기 시절 미모들이 존재한다. 지금은 다들 중년 배우가 된 세 배우의 리즈 시절 외모를 동시에 보는 재미가 있고, 보고 또 봐도 재미있는 내용도 솜사탕처럼 가벼운 영화다. 추천 이유도 '그냥 재미있으니까'가 답이다.

초등학교 동창생들 즉 죽마고우(竹馬故友)가 성인이 되어 10년 만에 경주에서 재회했다. 영화 <이장과 군수>의 도시 판쯤 된다고 생각하면 된다. (개봉 시기로 보면 그것이 아니지만)

소소한 반전이라면 모범생 '왕따' 영주(이성재)는 엘리트 깡패 두목이 되었고, 찌질이 공부 못한 불량 학생 '전설의 짱' 기동(차승원)은 다혈질 체육교사가 되었다는 설정이다. 깡패 조직의 수할 부하가 되고 싶은 불량 고등학생 주섭의 누나로 나오는 주란(김혜수)의 이 시절 외모는 마치 '소피 마르소' 같다.

1980년대 말 고등학생 시절을 보낸 나로서는 코팅된 공책 받침대로 그녀를 많이 사용했던 기억이 가물가물 떠오른다. <라붐(La Boum)>(1980)에서 청순한 미소만으로 내 맘을 설레게 했던 그 '소피 마르소(Sophie Marceau)'같은 '김혜수'는 '채시라' '이상아'와 더불어 책받침 경쟁녀들 이었다.

영화 <신라의 달밤>은 비록 몸은 어른이 되었지만, 아직 어릴 적 동심과 눈동자를 가진 순순한 어른들의 첫사랑 같은 유치한 동화 같은 영화다.

최근 인터넷 커뮤니티를 통해 학창 시절 모임이 활성화 되어 초등학교 같은 반동기를 만날 수 있었다. 네이버밴드를 통해서 만난 그 시절 추억을 되새기면서 동창생들이 건네는 첫마디 인사는

'야 너 초등때 하고 똑같구나'
'그래 너도 하나도 안 변했구나. 반갑다. 야'

옆 테이블에서 50세 넘어 보이는 우리들을 보고선 키득대는 소리를 못 들은 체하며 추억 속으로 빠져들었다.

교과서 밖에 몰랐던 모범생 순박한 영준이는 친구 사이에서 놀림 받자 커서 깡패 두목이 될 꿈을 키우고, 공부와 담을 쌓고 살던 녀석은 그래 이제부터라도 열심히 공부해보자는 결심으로 장래희망이

선생이 될 상상을 키웠다. 서로 자기보다 남이 더 부러워서 벌어진 일이다.

어쩌면 이 영화는 콤플렉스를 극복한 모범사례다. 위인들은 모두 콤플렉스가 있었다. 그것을 어떻게 극복하느냐에 따라서 삶의 방향이 달라진 것을 볼 수 있다. 나만 그런 것이 아니고, 우리 모두가 그렇다. 남의 인생을 부러워할 것이 아니라.

'오늘 하루하루 열심히 살다보면
그 남들이 나를 부러워할 날이 올 것이다.'

'찰리 채플린(Sir Charlie Chaplin(1889~1977))'도

'인생은 멀리서 보면 희극이지만, 가까이서 보면 모두 비극이다.'
라고 말하지 않았던가.

김상진 감독은 <마누라 죽이기>(1994), <투캅스3>(1998), <주유소 습격사건>(1999), <광복절 특사>(2002)등 코미디 영화 연출에 최고의 감독이다. 20년 전 '소피 마르소' 같았던 배우 '김혜수'는 한국의 국민대 여배우가 되었다. 그녀가 출연한 많은 영화 중에 레전드 대사가 넘쳐나는 최고의 영화는 <타짜>다. '정마담'이 없다면, 판이 서지 않는다.

"나 이대 나온 여자야. 이거 왜 이래?"

-타짜 中(정마담(김혜수))

#신라의 달밤 #김혜수 #차승원 #이성재 #2001년
김상진 감독

39. 타짜

"쫄리면 뒤지시던가?"

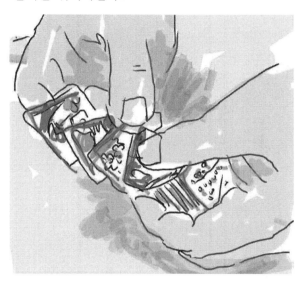

모든 대사들이 명대사로 기억되는 전설의 레전드 영화 <타짜>.

90학번 대학 생활 그때 그 시절 난데없는 휴강이면 당구장에서 큐대를 잡거나 만화방에서 허명만, 박봉성과 이현세를 만나 보면서 청춘을 지웠다. 그때 시켜 먹은 짜장면은 그 시절 추억과 함께 해서 그 맛이 상상 불가할 지경이다. 당시 만화 작가들 중에 지금 TV 프로그램 <백반 기행>에서 맛집을 찾아다니는 '허영만' 만화가를 특히 좋아했다. 왠지 만화들이 살아 숨 쉬는 느낌이랄까? 몇 년 전에는 <식객>을 읽고 선 그 책에 소개된 장소를 일일이 찾아다니기도 했다. 특히 부산사람으로서 돼지국밥 원조가 범일동 평화시장앞 '마산식당'인 것은 처음 알았다. 사실 부산사람들은 '영진국밥' '할매국밥' '쌍둥이국밥' '합천국밥' 등이 더 유명세인데 말이다.

허영만 만화를 특히 좋아했던 이유는 또 한 가지는 실화를 바탕해서 리얼리티가 좋았다. <식객 28권>, <오 한강 5권>, <타짜>, <각시탈> 등등 일일이 열거할 수 없을 정도로 베스트셀러가 넘쳐난다. 물론 당시 만화 작가들은 각자 나름의 팬덤이 있었다. 지금으로 치면 '기안84', '주호민', '이말년' 같은 웹툰 만화가와 비교할 수 있다. 어쨌든 허영만 만화를 원작으로 하는 <타짜>가 3편까지 영화로 태어났다.

"나 쏠 수 있어..." 정마담 (김혜수)
"쫄리면 뒤지시던가" 고니(조승우)
"내가 빙 다리 헛 바지로 보이냐" 아귀(김윤석)
"마포대교는 무너졌냐" 곽철용(김응수)
"묻고 더블로 가" 곽철용(김응수)
"아수라 발발타"' 평경장(백윤식)

이제는 아예 일상 언어가 된 듯한 엄청난 명대사가 지금껏 회자된다. 마치 영화 <범죄와의 전쟁>(2012)에서 '살아 있네'가 그런 것처럼.

<타짜>는 도박이 얼마나 위험한지 경고하는 영화이기도 하다. 도대체 화투 도박에 빠지면 얼마나 위험할까? 영화처럼 한 손을 잃어도 나머지 손으로 화투를 칠만큼 중독성이 강할까? 궁금하기는 하다.

TV 시사교양에서 가끔씩 도박 위험성을 경고하는 프로그램을 방송한다. 강원랜드 콤프의 부정 사용에 빌붙어 사는 인생이 지금도 여전히 존재한다. 카드깡으로 입에 풀칠을 겨우겨우 연명하는 노숙자 같은 행색의 사람들이 돈만 생기면 강원랜드에 출입하려고 하는 모습을 보여준다. 이해가 가기도 하고, 안가기도 한다.

이재원 감독 독립영화 <썬더버드>(2021)를 보면 적나라한 강원랜드 뒷골목 음지 모습을 볼 수 있다. 드라마 <카지노>보다 하찮은 인간 군상들 모습이다.

주인공 '고니'의 도박 시작점은 누나 이혼 위자료를 가지고 동네 타짜들한테 모두 탕진한 후 <사기화투판> 범인을 잡기 위함이었다. 고니는 대한민국 최고 타짜라는 평경장(백윤식) 밑에서 죽기 살기로 기술을 연마한다. 물론 평경장이 처음부터 그를 받아 준 것은 아니다. 처음에는 극구 분명히 말렸다. '누나 위자료 5배 따면 집에 간다.'는 믿지 못할 희망 사항과 악착같은 고집에 그만 제자로 받아준다. 우여곡절 큰 돈을 손에 넣었기에 평경장은 절대 고니가 행할 것 같지 않는 말을 해준다.

"손가락 하나 자르고, 집에 가라."

고니는 과연 어떤 선택을 할까? 평경장이 귀에 못이 박히도록 강조한 '욕심을 버려라.'를 실천할 수 있을까? 고니는 결국 모든 것을 잃을 때까지 정마담과 타짜 인생을 살게 된다. 타짜 인생은 어떻게 될까?

<타짜 2-신의 손>(2014)에서는 고니 사촌 동생(빅뱅 탑)이 주인공이고 <타짜3-원 아이드 잭>
(2019)에서는 짝귀의 아들(박정민)이 주인공이다. 전편보다 훌륭한 속편을 없다는 말이 딱 맞는 경우다. <타짜 1편>만으로 '타짜'를 즐기기에 충분하다.

영화 <타짜>는 허영만 화백 <만화 타짜 4부작>을 영화화 한 것이다. 영화광이라면 명대사가 넘치는 반드시 봐야 할 영화 <타짜>를 인생 영화로 추천하는 사람들도 많다. <타짜>란 영화에서도 묘사되지만 아마도 실제 도박 세계가 더 하면 더 했지 결코 못하지 않을 것 같다. 손모가지가 잘리고, 귀가 잘리기도 하고 심지어 목숨도 잃는다. 그들 사이에서는 전리품이라고 불리면서 말이다.

OTT 드라마 <카지노>(2023)를 보면, 도박에 미친 인생들이 얼마나 얽히고설켜 있는지 리얼한 현실 세상을 볼 수 있다.

영화 <타짜>는 거의 20년이 된 영화지만, 그때나 지금이나 변함없는 도박 세계다. 항상 돈이 욕심이 문제를 일으킨다. 배우 짐 캐리는 '모든 사람이 부자가 되었으면 좋겠다.'란 말을 했다. 이 말 의미는 부자가 되어보면, 돈이 그렇게 중요하지 않다는 뜻이다. 건강을 잃어보고 사람을 잃어보면 깨닫는 이치이지만, 우린 항상 너무 늦게 깨우치게 된다. 무엇이 중요하냐고? 건강이잖아.

최동훈 감독은 <타짜> 이후 지속적인 흥행 최고 감독이다. <전우치>(2009), <도둑들>(2012), <암살>(2015)를 연출했다. 흥행 실패라지만, <외계+인 1>(2022)도 난 재밌었다.

<타짜>에서 정마담은 모든 것을 기획했다. 엔딩 장면에서 "쏠 수 있어"를 외치던 그녀가 안타깝게 보이는 이유는 무엇일까? 이제 배우 '김혜수'도 중년으로 접어들었다. 분장이지만, 평범한 중년 모습

을 한 <차이나타운>을 보자. 나이에 맞는 변신이
다. <굿바이 싱글>(2016)에서 철없는 말괄량이 여
배우역을 했지만, 개인적으로 그보다 중후한 무게
감이 있는 <차이나타운>이 훨씬 좋다. 어쨌든 난
그녀의 광팬이다.

"혹시 돈 때문에 오셨어요?"

-차이나타운 中(박보검)

#타짜 #조승우 #김혜수 #김윤석 #2006년 최동훈
감독

40. 차이나타운

"엄마"

배우 '김혜수'님의 오랜 팬이다. 인스타그램 팔로
우하여 그녀의 조깅하는 모습을 보면서 '좋아요'를
클릭한다. 차마 부끄러워서 '댓글'을 달지는 않고
있다. 개인적으로 그녀가 다작하는 배우이기를 바
란다. 그녀가 나온 영화는 아무런 조건을 달지 않
고 극장으로 달려간다. 시간이 없다는 건 핑계다.

영화표 값이 문제가 아니다. 동반 조연 배우가 연기를 못하는 신인이라도 난 배우 '김혜수'만 보면 된다. 영화 내용이 비현실적이라도 원래 영화란 그런 것이 아닌가. 영화 <미옥>(2017), <내가 죽던 날>(2020)처럼 왜 출연했는지 의심스러운 영화도 괜찮다. 다 이유가 있을 것이다. 내게 김혜수는 그런 존재다. 사실 김혜수 외에도 전도연, 이병헌, 송강호가 있다.

영화 <비상선언>(2022)은 아마도 두고 두도 회자되지 않을까? 대배우 수십 명이 출연하고도 폭망한 책임 소재를 두고 말이다. <신라의 달밤>에서 어리고 청순한 '김혜수'의 20대 풋풋한 모습을 보았다면 이제 슬프고 안타깝지만, 세월이 흐른 중년의 그녀를 만날 수 있다. 세월이 야속하다. 나도 그런데, 아마 배우인 그녀도 더 그럴 것이다.

영화 <차이나타운>은 사채업을 하면서 버려진 고아를 이용해서 자금을 회수한다. 버려진 아이 일영(김고은)은 일명 엄마(김혜수)에게 선택되어 총애를 받는다. 하지만, 일영의 입장에선 미수금을 받을 곳은 악성 채무자가 대부분이다. 하지만, 어느 날 그를 만나서 그만 사랑에 빠지고 만다. 그는 석현(박보검)이다. 개인적으로 스토리는 그리 공감가지 않는다.

한국 배우 중에 <김혜수>만큼 존재감이 큰 배우가

있을까 싶다. 특히 TV드라마도 자주 출연해서 너무 멀리 있지 않아 좋다. 드라마 <시그널 16부>(2016)에서 선배 조진웅을 애타게 찾았다. 대하드라마 <슈룹>(2023)에서 조선시대 자녀 교육에 열정적이었다. <하이에나>(2020)에선 법과 가슴, 돈 사이에서 물고 뜯는 하이에나 변호사로 '주지훈'과 함께 등장했다. <이층의 악당>(2010), <도둑들>(2012), <관상>(2012), <굿바이 싱글>(2016) 등을 꼭 찾아보시길 바란다.

영화 <차이나타운>은 김혜수에게 어떤 작품일까? 뚱뚱하고 피폐한 중년 분장을 하고 변신을 했다. 어글리한 외모를 가진 영화는 이 영화가 처음이 아닌가 싶다. 하지만, 영화 <차이나타운>에서 배우 김혜수가 없었다면, 이 영화는 존재하지 않는다. '엄마'역의 '김혜수'는 그만큼 존재감이 어마무시하다는 말이다. 오로지 '김혜수'의 힘만으로 극을 끌고 가는 <차이나타운>을 보면서 그녀는 마치 <대부>(1972)의 '알 파치노'가 된 느낌을 보는 것 같다. <차이나타운>에서 자금수금책으로 나온 김고은을 보면서, 영화 <악녀>가 생각났다. 비슷한 이미지다.

한준희 감독은 <뺑반>(2019)를 연출했다. 김옥빈이 연기한 <악녀>는 어린 시절부터 킬러로 길러진다는 설정이다. <차이나타운>에서는 사채업자의 수금책으로 길러지는 김고은과 킬러로 길러진 김옥빈. 둘을 비교해보면 재미있지 않을까?

"니 애비 죽인거 나 아이야."

-악녀 中

#차이나타운 #김혜수 #김고은 #박보검 #2015년 한준희 감독

41. 악녀

"저 남자 누굽니까?"

독특한 매력을 발산하는 여배우가 있다. 영화 <박
쥐>(2009)에서 강렬한 인상을 주었던 배우 '김옥
빈'이다. 영화 <악녀>를 보고선 그녀가 이제 한국
의 대체 불가한 여배우로 자리 매김 했다는 느낌

을 받았다. 마치 헐리우드에 <존윅>이 있다면, 한국에는 <악녀>가 있다. 제목을 조금 멋지게 지었다면, 어땠을까 하는 아쉬움이 한가득이다.

배우 '김혜수'가 중년 여성 사채업자로 출연한 영화 <차이나타운>은 버려진 아이들이 킬러로 길러지는 내용이지만, <악녀>는 전문기관에서 어린 여성을 킬러로 교육시키는 영화다. 최근 넷플릭스 <길복순>(2023)과 더 가깝다고 해야 하나.

한국 영화에서 '킬러'가 주인공인 영화 특히 여성 킬러인 경우가 많지 않다. 대부분 '정통킬러'라기보다 영화 <럭키>(2015)에서 '유해진'처럼 코믹하게 그려지는 경우가 많다.

물론 '키아누 리브스' <존윅(John Wick)>시리즈처럼 대형 블록버스터급 전문 킬러 영화라기보다 80년대 홍콩영화 장만옥, 매염방, 임청하를 보는 듯한 부드러운 감성이 살아났다(난 옛날 사람이니까).

참 그건 그렇고 <존윅 4>에서 그는 죽은 것이 맞나? <007 노타임 투 다이(NO TIME TO DI)>(2021)에서 '제임스 본드'는 분명 죽었다.

영화 <악녀>는 지금까지 본 적 없는 강렬한 액션을 선보인다. 달리는 오토바이 결투 장면, 버스 액션 씬은 환상적이며, 헐리우드 영화에서 카피할 정도다. 어쩌면 내용은 조금 식상할지도 모른다.

숙희(김옥빈)는 겉으로는 냉혈한 킬러로 성장했지만 친구를 만나고 결혼도 하는 정체를 숨긴 평범한 여성이다. 어느 날 킬러 임무 수행 중 가장 친한 동료가 심하게 다쳤지만 조직에선 한낱 목적을 이루기 위한 도구로 사용되고 목숨마저 버려지는 모습을 보고 충격을 받는다. 나도 저렇게 버려질 수 있다는 도구일 뿐이다. 그것을 그때야 알았을까? 사람들이 흔히 하는 착각이다.

'우리 조직은 내가 없으면 안 돼'

킬러 세계뿐만이 아니라, 모든 곳에서 마찬가지다. 내가 없어도 조직은 잘 돌아가고 또한 그것이 정상인 곳이다. 삼성그룹조차 절대적이었던 이건희 회장이 없어도 별문제 없지 않은가? 사람보다 시스템에 의존해야 모든 것이 정상적인 곳이다.

<악녀>는 청소년 관람 불가 등급으로, 잔인하고 폭력적인 장면이 많다. 그렇지만, '우마 셔먼' <킬빌>(2004)에 비한다면 새 발의 피 정도다. 최근 실망스러운 영화인 <늑대사냥>(2022)처럼 그냥 잔인하고 폭력 장면만이 난무하지만 졸린 영화와는 결이 다르다. <악녀>는 순간 눈을 돌리거나, 깜짝 놀라게 되는 잔인함이 있을 뿐.

영화 <마녀>에서 배우 '김다미'가 독특한 매력으

로 어필했다면 여기서는 '김옥빈'이 그런 존재감 위치다. <악녀> 속편을 기대했지만, <마녀>가 먼저 속편을 개봉했다. 인간을 물건 취급하는 조직에서 눈을 돌려 이제 자아를 찾고자 한다. 흔한 킬러 영화들의 익숙한 장면이다. 이 영화는 헐리우드 <존윅>(2015)에서 오마주하고, 미국 드라마로도 제작되었다니, 한 번쯤 볼 만은 하다. 단지 어디선가 본 듯한 장면들이 넘쳐나 짜깁기한 듯한 킬러 영화.

정병길 감독은 <내가 살인범이다>(2012), <커터>(2022)를 연출했다. 킬러가 체질인가 보다.

배우 '김옥빈'의 매력 빠져 볼 요량이면, 무조건 <박쥐>로부터 시작해야 한다. 송강호와 열연을 했던 당시에도 전혀 주눅 들지 않고 당당한 그녀를 만날 수 있다.

"사람 살리는 일을 하고 싶어요."

-박쥐 中(현상현(송강호))

#악녀 #김옥빈 #신하균 #김서형 #2017년 정병길 감독

42. 박쥐

'이런 현실을 극복해야 한다.'

박애주의자 현상현(송강호)은 신부로서 자신을 희생해서라도 불치병에 걸린 사람들을 구하기 위해 아프리카 임파누엘 연구소에 가서 생체 실험에 응한다. 실험 도중 거의 죽음을 맞이했으나, 자신도 모르는 사이 뱀파이어 피를 수혈 받아 다시 부활한다. 한국으로 돌아온 그는 사람들로부터 구원의 신(神)처럼 받들어지게 된다. 아픈 친구 강우(신하균) 집에 방문하게 된 계기로 그의 아내 태주(김옥빈)와 운명적인 위험한 사랑에 빠져 버리고 만다. 결국 태주도 뱀파이어가 되어 버리고, '피'를 갈구하고 피에 굶주리게 된다. 상현은 무고한 사람들의 목숨을 빼앗고 흡혈 유혹을 이기지 못하는 태주를 어떻게 든 막아도 보고 사람들을 구하려고도 하지만...

박찬욱 감독은 <공동경비구역 JSA>(2000)에서 송강호와 호흡한 이후 거의 10년 만에 재회하여 <박쥐>(2009)를 합작했다. <박쥐>를 통해 국민 배우 송강호를 역시 '송강호 다'로 인식하게 되었고, 신예였던 '김옥빈' 단번에 톱 여배우로 올려놓았다.

영화<박쥐>는 '에밀 졸라(Émile Zola)'의 소설 <테레즈 라캥(Therese Raquin)>가 원작이다. 소설에서는 뱀파이어가 주인공은 아니지만, 스토리를 따라 간다.

상현은 비록 지금은 '뱀파이어'이지만 원래가 신부였기에, 냉정하고 이성적인 듯이 살려고 한다. 비록 피를 갈구하고 피를 흡혈하지만, 살인 같은 범죄를 하지 않는다. 자살하는 사람 피를 먹거나 목숨에는 피해를 안주는 방식으로 흡혈한다. 하지만, 태주는 이성적이기보다 본능적으로 흡혈을 참지 못하고 살인도 저지른다. 도저히 피의 욕구를 참을 수 없다.

이성과 동물적인 본능이 충돌한다면 어떻게 될까? <박쥐>는 상현(남성)는 이성적이고 마치 태주(여성)는 본능적인 삶을 사는 것처럼 비춰진다. 태주를 흡혈귀로 만든 원죄인 상현은 결국 태주와 동반 자살을 계획하고 만다. 결국 소멸이다. 마지막 엔딩장면은 마치 석양아래 찬란한 서부극 한 장면처럼 아름다운 명장면을 만들었다.

박찬욱 감독의 필모그래피 중에서 가장 대표작이라면 누가 뭐래도 <박쥐>가 아닐까? 포스터의 이미지도 강렬하게 남아있다. 세계적인 한국 감독들 중 고급스런 변태 감독이라면 '박찬욱' 아닐까? 물론 <헤어질 결심>에서는 변태적인 성향이 순화되고 더 고급진 미장센 느낌이지만 말이다. 박찬욱 감독과 배우 송강호는 복수시리즈 시작을 알린 <복수는 나의 것>(2002)에서 송강호와 신하균의 연기 대결을 펼쳤다.

"전 말 못하지만, 너무 착한 사람입니다. "

-복수는 나의 것 中(류(신하균))

#박쥐 #송강호 #김옥빈 #신하균 #2009년 박찬욱 감독

43. 복수는 나의 것

"유괴는 좋은 유괴와 나쁜 유괴가 있다."

영화 <복수는 나의 것> 박찬욱 감독 복수 3부작
그 서막의 시작이다. <복수는 나의 것>(2002),<올
드 보이>(2003), <친절한 금자씨>(2005)가 복수
시리즈 3편이다.
영화에서 <복수>를 빼면 아마도 소재가 고갈되지
않을까? 사소한 개인 복수부터 국가대 국가,심지
어 외계인과도 복수 대결을 펼친다. <존윅>이 그

렇고, <007>이 그렇고, <어벤저스>가 그렇다.

박찬욱 감독 <복수>시리즈는 본격적으로 <복수>를 미리 표방하고 시작한다. 그 중에 1편 <복수는 나의 것>은 복수 시리즈 3편 중 가장 현실적인 이야기를 담고 있다. 가해자도 피해자도 보기에 따라서 선인인지 악인인지 헷갈리지만 말이다. 이 영화에 등장하는 악인조차 타고난 범죄형 인간 즉 사이코패스 인간이 절대 아니다. 그렇다고 절대 옹호하는 것은 아니다. 현실에서 있을법한 소재이니, 아마도 재판에서 '선처'로 구걸을 할 필요충분조건은 아닐까 싶다.

'류'는 사기 집단에 의해 본인 신장도 수술로 강탈당하고, 누나 수술비마저 빼앗겨 버린다. 이제 병원에서 겨우 구한 신장이식을 할 누나 수술비는 어떻게 구하나? 류(신하균)는 누나의 신장 수술비를 구하기 위해 동진(송강호)의 딸을 납치할 계획을 꾸민다. 하지만, 이 유괴로 인한 소용돌이는 걷잡을 수 없이 일파만파(一波萬波) 휘몰아치기 시작한다. 납치범들도 선한(?) 인간들이고 그 대상도 선한(?) 사람들이다. 악인과 악인의 대결이 아니다. 류과 영미는 절대 처음부터 그런 잔인한 결과로 이어질 (살인)계획을 세운 것은 아니다. 하지만, 피해자에겐 과정은 필요 없을 것이다. 같은 결과이기에 아무 소용없다. 납치범 의도와는 상관

없는 일들이 일어나 아이가 사망한다. 결국 아이가 죽은 것은 죽은 것일 뿐이다. 수술비 마련 돈만 받고 아이를 풀어줄려 했지만, 의도치 않은 결과가 발생하고 말았다. 이제 꼬이고 꼬인 복수의 시작이다. 류는 신장을 강탈해 간 조직을 상대로 복수에 나섰다. 동진는 아이를 죽게 한 류를 상대로 복수에 나섰다. 이제 누가 먼저 복수를 하는가에 달렸다. 복수는 동시에 진행된다.

영화 <복수는 나의 것>은 박찬욱 감독이 아직 박찬욱표 미장센을 본격적으로 선 보이지 못한 시기다. 날것의 칼날이 서 있다는 느낌이다. 신하균과 배두나, 송강호가 얽히고 얽힌 뫼비우스 띠 같은 복수가 시작된다. 함무라비 법전 '눈에는 눈 이에는 이'라는 동해보복 원칙에 충실한 것이

과연 현실에 맞는가는 생각해볼 문제다. 중동에서 끝이지 않는 이스라엘과 팔레스타인 분쟁이 그렇다. 복수 2편 영화 <올드 보이>에서도 '오대수'는 왜 10년 동안 독방에 갇히는가? 누구를 향해 복수해야 하는가?

"누구냐 너?'"

알고 보니 고등학교 때 누나에 대한 소문을 낸 이유로 오대수를 가둔 것이었다. 함부로 누구를 험

담해서는 안 된다는 교훈인가? 복수 3편 영화 <친절한 금자씨>는 제목만큼 전혀 친절하지 않다.

"너나 잘 하세요'."

감옥에서 금자씨는 13년을 복역하고 출옥해서 과거 감방 동기들에게 도움을 받아 복수의 서막을 알린다. 이영애를 가장 잘 활용한 영화 아닌가? 나레이션

"얼굴에서 빛이 나는 사람이 있다."

감독 박찬욱 복수 시리즈 그 첫 시작은 <복수는 나의 것>이다. 혹시 이 영화를 보면서 '이마무라 쇼헤이(Shohei Imamura今村昌平)' 감독 <복수는 나의 것(Vengeance Is Mine, 1979)>가 생각난다면, 당신은 진정한 시네필로 인정한다.

" 너 누구냐?"

-올드 보이 中(오대수(최민식))

제 2편인 <올드보이>를 보자.

#복수는 나의 것 #신하균 #송강호 #2002년 박찬
욱 감독

44. 올드 보이

"누구냐 너"

<복수>란 행하는 사람도 당하는 사람도 참 무섭고 두려운 일이다. 누군가에게 해코지 안 당할 요량이면 착하게 살아야 할 것 같다. 부산 차이나타운에 위치한 올드 보이 촬영 중국 요리 집은 20년이 흘렀지만, 아직도 <올드 보이> 군만두를 추억하기 위해 웨이팅에도 불구하고 관광객들과 현지

인들로 늘상 붐비는 맛 집으로 평점을 받고 있다. 신기한 일이다. 관광객들이 스스로 자발적으로 내 돈내산(내 돈 주고 내가 산) 찾아가서 먹는 군만두와 오대수처럼 독방에 강제로 15년 갇힌 채 억지로 먹어야 하는 군만두는 맛은 분명 같을진데 태도 차이는 상상도 못 할 것이다.

인생이 그렇다. 자 의지와 타 의지의 차이다. 의지가 없는 사람을 우물가에 데리고 갈지언정 물을 억지로 떠먹일 수는 없다.

<올드보이>에서 강렬한 인상을 남긴 롱테이크 장도리 액션 씬은 영화 <킹스맨>(2015)도 참고로 활용 되었고, 서양에선 극 중 옥토퍼스 괴물로 공포스러운 동물인 '산낙지'를 씹어 먹는 모습에 큰 충격을 받았다고도 했다.

이우진(유지태)는 15년 동안 오대수(최민식)를 가둔다. 영문도 모른 채 독방에서 중국집 배달 군만두만 먹으면서 견딘다. 감옥에 갇혀 시간의 흐름에 무기력 해진 오대수는 스스로 죄를 고백하기도 한다. 성당에 가서 신부에게 '고해성사'를 하는 것처럼 그가 살아온 날들에 대한 죄를 읊어대기도 한다. 왜? 내가 왜? 사람이란 존재 인간이란 존재가 그런가 보다. 왜 나한테 이런 일이? 처음에는 부인하고 분노하지만 결국 스스로를 자책한다.

주식이나 도박, 마약으로 인한 처절한 실패를 맛

본 사람들은 왜 나에게 이런 일이 생겼는지 시간을 되돌리고 싶은 마음에 부인하고 분노하지만, 결국 자책하게 된다. 내가 왜 시작해서 '이런 일을 당해야 하나' 하면서 말이다.

15년 동안 독방에 갇혔다가 겨우 풀려난 후 오대수가 일식집을 찾아가서 살아 꿈틀대는 산낙지를 입에 억지로 넣는다. 사실 한국 사람도 저렇게 큰 산 낙지를 통 채로 먹지 않는다. '탕탕이'나 '꼬치구이'로 주로 먹지 않나? <올드보이>를 상징하는 너무 강렬한 명장면이기에 잊을 수 없다. 오대수는 자신을 가둔 이우진에게 '왜 나를 가두었냐'고 질문하지만, 이우진은 그에게 이런 질문을 한다.

" '내'가 중요하지 않아요. '왜'가 중요하지."

<왜>가 중요하다는 것은 모든 책임이 너한테 있다. 왜 그런 짓을 했냐? 는 말이다. 오대수는 자신이 무엇을 잘못했는지 전혀 알지 못한다. 사람들은 그렇다. 연못에 던진 조약돌에 개구리는 맞아 죽을 수도 ..일상생활에서 무의식 중 한 행동이 타인에게 큰 피해와 상처를 줄 수도 있다. 또한 당신에게 받은 피해를 고스란히 당신이 눈치못 챈 사이에 복수를 했을지도 모른다. 오대수는 15년 동안 독방에 갇힌 복수를 당했지만, 누군가

는 당신 곁에서 수십 년 동안 소심한 복수를 하고 있을 수도 있다.

개인적으로 이우진이 한 복수가 최고라고 생각한다. 15년이란 시간을 빼앗는 고통이야말로 견딜 수 없다. 나와 같은 사람이구나.ㅎㅎㅎ

이유를 모르는 보복행위는 우리 주위에서 흔히 행해진다. 가령 층간소음에 대한 법적 기준 db에는 미달되지만 희미한 발걸음 소리조차 참지 못해 위아래층 보복 살인도 일어나는 비정한 세상 아닌가? 갑작스런 아랫집의 공격에 당하는 사람은 이유를 모를 수도. 착하게 살아도 내가 모르는 사이에 상대방이 오해할 수도 있다. 나도 가끔씩 아내를 보면서 말한다.

"누구냐 너?"

박찬욱 감독은 세계적인 감독이다. 그의 필모그래피를 일일이 나열하기도 힘들다. '너 나 잘 하세요'란 대사로 유명한 <친절한 금자씨>로 복수 3부작을 완성한다. 꼭 보시길 바란다.

결국 잡지 못한 범인(영화 상영 당시) 미해결 사건들이 넘쳐나는 현실이다. 영화 <살인의 추억>은 화성 연쇄살인을 다룬다. 디테일 봉준호 감독의 진면목을 볼 수 있다.

"난 딱 눈을 보면, 범인을 알아."

-살인의 추억 中(박두만(송강호))

#올드보이 #최민식 #유지태 #2013년 박찬욱 감독

45. 살인의 추억

"향숙이"

영화 개봉 당시 <화성연쇄 살인사건>은 3대 영구 미제 사건 중 하나였다. 대한민국 3대 미제사건. 1. 개구리소년실종사건. 2. 이형호군 유괴사건. 3. 화성연쇄살인사건 이었는데, 화성 연쇄살인사건은 진범 '이춘재'가 잡혔다.

영화 <살인의 추억>은 실화 '화성연쇄 살인 사건' 을 소재로 하고 있다. 1986년부터 1991년까지 14

건의 엽기적인 살인사건이 일어났고, 오랫동안 범인을 잡지 못했다. 형사 박두만(송강호)은 동물적인 감각으로 상대방 눈빛만 보면 범인인지 아닌지(?) 척 알 수 있다. 본능적인 감각으로 연쇄 살인범인을 잡기 위해 총력을 다 하는 중 이었으며,서울에서 온 서태윤(김상경) 형사는 무식한 두만을 조롱하듯이 나름 과학수사를 하기 위해 노력한다. 그는 살인사건이 일어난 날에는 비가 왔고, 특정 노래가 라디오에서 흘러나왔으며, 빨간색 미니스커트 옷을 입은 여성을 대상으로 사건이 발생했다고 추리했다.

영화 마지막 장면에서 박두만은 범인이라고 확신한 박현규(박해일)을 철길에서 붙잡는다.

"밥은 먹고 다니냐?"

하지만, 진범임이 분명했던 그는 국과수 검사 결과 채집된 증거와 혈액형이 달랐다.

당시 살인 용의자로 출연했던 배우 '박해일'의 곱상한 범인 이미지는 한동안 지워지지 않았다. 지금도 그가 출연한 영화를 보노라면, 범인 용의자 박해일이 떠오른다.

1980년대 맨몸 수사를 지금 과학수사대와 비교한다는 것은 어불성설이다. 많은 물증이 있었지만 전혀 도움이 되지 못했고, 이 사건은 공소 시효마저 2016년에 끝나 버렸다.

이후 2020년 처제 살인 사건으로 무기 징역을 구형받고 '부산교도소'에 수감 중인 '이춘재'가 화성 연쇄살인 사건에서 보관 중이었던 DNA와 일치한 것이다. 세월이 흘러 과학수사 기법이 발전하여, 이루어낸 성과다. 그는 모든 범행 사실을 실토했다. 무려 33년 만의 일이다.

비록 공소 시효는 지났지만, 미제사건은 드디어 해결되었다. (2015년 7월 24일 일명 '태완이법'이 통과되어, 이후로는 살인죄에 대한 공소 시효가 없어졌다.)

당시 화성 연쇄 사건들 중 8차 사건은 무고한 시민 윤씨가 범인으로 특정되어 무려 20년 동안 수감된 사실이 밝혀졌다. 그는 재심전문 박준영 변호사를 통해 국가에 배상을 요구한 상태였다. 억울한 누명을 쓰고 31년을 살았다고 하니 도대체 이해불가한 일들이 벌어지고 있다.

<살인의 추억>은 1980년대 엉성한 수사방식을 꼬집고 있다. MBC 인기 연속극 '수사반장'식 육감으로 범인을 잡았던 시대의 비극이다. 실제 당시 경기 남부 경찰서 강력계 '하승균 계장'은 <화성은 끝나지 않았다>란 책을 통해 오랫동안 범인을 잡지 못했던 스스로를 탓했다.

영화 <살인의 추억>은 2003년 개봉하여, 감독 <봉준호 영화> 서막을 알렸다. 디테일 끝판 왕 봉준호 감독은 화성연쇄 범인이 분명히 <살인의 추억>을 볼 것이고, 언젠가는 잡힐 거라는 확신으로 이 영화를 연출했다고 했다. 정말 그의 말대로 범인은 잡혔다. 미제사건 영화는 이규만 감독 <아이들>(2011), 박진표 감독 <그 놈 목소리>(2007)가 있다. 오랜 세월이 흘러도 꼭 범인이 잡히기를 기원해 본다.

봉준호 감독은 <남극일기>(2005), <괴물>(2006), <마더>(2009), <설국열차>(2013), <옥자>(2017), <기생충>(2019)를 연출했다.

배우 김윤석과 하정우의 케미가 돋보이는 긴장감 100% 추격전이 벌어지는 영화 <추격자>를 보자. 범인을 현장에서 끝까지 쫓아 잡아야 한다.

"아저씨 괜찮으니, 그냥 가세요."

-추격자 中(영민(하정우))

#살인의 추억 #송강호 #김상경 #2003년 봉준호 감독

46. 추격자

"안 팔았어요. 죽였어요."

우락부락 험상궂게 생긴 누가 봐도 잔인무도한 범
죄형 포스터 외모가 아니라 곱상하게 생긴 호감형
사이코패스 범인의 등장이다. 영화 <살인의 추억>
연쇄살인 범인은 변태 살인마일 뿐이었다.

하지만, 영화 <추격자> 연쇄 살인마는 이웃에 살고 있는 소심하고 선한 얼굴을 가진 지극히 평범한 청년 사람이다. 무려 실화를 바탕으로 한 영화다. 유영철과 강호순의 실제 살인 사건을 모티브로 한 이야기다.

최근 한국 영화에서 이런 류의 범죄 드라마가 넘쳐난다. 사회가 어지럽고 혼자 사는 사람이 많아지면서 접근하기 쉬운 신체적으로 약한 여자를 살인 대상으로 하는 폭행 살인 사건도 증가하고 있기 때문이다.

특히 <추격자>는 더 사회적 약자인 창녀를 대상으로 한 범죄다. 잔인했던 범죄자 유영철은 20명을 살해했고, 특히 강호순은 호감형 인상으로 애완견을 동반해 여성을 유인하여 10여 명을 살해했다. 실제 사건이다. 이들은 살인 범죄자일 뿐이지만, 스스로는 뭔가 된 듯한 눈빛이다. 우리 사회는 이들을 <사이코패스>라고 부른다.

중동 아시아 영화 강국인 '이란' 영화 중 최근에 본 <성스러운 거미>(2023)가 있다. <추격자>의 사이코패스 범인처럼 창녀들을 대상으로 연쇄 살인을 저지르지만, 오히려 이란 국민들은 이 범죄자를 암묵적으로 지지하고 영웅처럼 인정하기도 한다. 이들은 이슬람국가에서 창녀를 대상으로 한 범죄는 마땅하다는 인식이 있다. 국민과 공권력

경찰이 사회를 정화한다는 명목의 살인 범죄자를 동조하는 나라라니? 다행히 한국은 범죄자를 대상으로 그 정도 불량한 양식을 가진 나라는 절대 아니다. 범죄자는 범죄자일 뿐이다.

영화 <추격자>에서 전직 형사였던 엄중호(김윤석)가 골목길에서 쫓던 납치범 지영민(하정우)을 마주하고 자동차 유리 너머 던진 이 말이 명대사로 남았다.

"야 4885 너 지"

나홍진 감독은 아슬아슬한 심장 쫄깃한 추격 장면에 최적화된 연출을 잘한다. <황해>(2010)가 그렇고, <곡성>(2016)이 그렇다. 항상 쫓고 쫓기고 쫓아다닌다는 설정이다. 아마 첫 출발 작품이 바로 영화<추격자>다.

문득 지금껏 내 기억 속에 가장 강력한 추격물은 바로 한국 이름 석호필인 주인공 <프리즌 브레이크(Prison Break : 2005~2017, 시즌1~5>다. 미드를 볼 생각이 있으시다면 가장 강력한 추천작이다. (주인공 '마이클 스코필드'는 한국명 '석호필')

영화감독 첫 데뷔작 소위 입 뽕 작품은 세련되기보다 살아있는 날 것이란 느낌이 강하다. 도심 한복판 좁은 골목길을 도망자와 추격자 입장으로 뛰고 달리다가 미끄러져 넘어지자마자 다시 일어서 달리는 장면은 보는 사람도 팔꿈치가 아프고 무릎이 시리다. <추격자>에 그런 장면들이 다수이기에 영화를 다 보고 난 뒤에 온몸이 쓰라린 느낌이 들기도 한다.

범죄자를 이해하려고 하지 말자. '사이코패스'는 그냥 '사이코패스'일 뿐이다. '사이코패스 연쇄 살인범' 심리를 일반인이 이해할 수가 없다. 아마도 '유영철' '강호순' 같은 강력 사건 발생 이후에 범죄 심리 분석자인 <프로파일러>가 본격적으로 등장한 시기일 것이다. 도저히 원인을 알 수 없는 범죄자들이 넘쳐나다 보니, 아예 전문 심리 연구가인 <프로파일러>가 생겨난 게 아닐까? 드라마 <악의 마음을 읽는 자들>(2022)에서 '김남길'이 그 역할을 했다. 프로파일러의 탄생을 다룬 이 드라마는 범죄 심리영화를 좋아한다면 사전 지식을 얻을 요량으로 볼만한 드라마다.

'사이코패스'가 평범한 우리와 외모가 다른 사람이라고 생각하지 마시라. 너무도 평범한 사람일 뿐이다. 심지어 4명 중 1명이 '사이코패스' 성향이나 기질이 있다고 하기도 한다. 남의 감정을 이해 못하는 사람은 그냥 그렇게 자기의식대로 타인을 판단하고 오해해서 결국 상상도 못 할 사단들이 나고 만다.

고전 수사극인 <수사반장>에 출연하는 범인은 평범한 사람들의 한순간 어긋난 감정 표출로 범죄를 저질렀다면, 현대 도시에서 발생하는 범죄를 다룬 한국 영화에 등장하는 범인이 어느새 '사이코패스'로 대체되었다.

<추격자>는 다시 봐도 살 떨리는 장면들이 후덜덜하다. 망치와 정으로 사람을 내리쳐 잔인하게 살인하는 장면과 겨우 맨몸으로 도망쳐 나와, 슈퍼마켓 뒷방에 숨었는데 주인아주머니가 알려줘서 결국 안타깝게 살해당하는 장면은 분노마저 일어난다.

나홍진 감독은 박찬욱 감독의 복수 시리즈 3부작, 유하 감독처럼 거리 시리즈 3부작 같이 <추격 시리즈>를 기획한 것이 아닐까? <추격자>, <황해>, <곡성>이 비슷한 결을 한 듯해서 한 말이다. 누군가를 쫓고 쫓기는 설정이 결이 비슷하다. 나홍진표 영화는 긴장감의 연속이다. 벌써 차기작이 너무 기대되는 까닭이다.

나홍진 감독은 <추격자>에서 '하정우'와 '김윤석'의 케미에 만족한 듯하다. 2년 뒤 <황해>(2010)로 다시 두 배우를 동시에 캐스팅한다. 둘은 다시 쫓고 쫓긴다.

영화 <황해>에서 연변 조선족 면가(김윤석)에게 쫓기는 구남(하정우)을 만나게 된다. 물론 '구남'

이 범죄자는 아니다. '면가'도 형사가 아니다.
<황해>의 긴장감도 <추격자> 못지않다. 결투씬에
서 잔인한 장면이 있기에 심약하신 분들은 주의하
시길..

"이 사람 좀 찾아 주오."

-황해 中

#추격자 #하정우 #김윤석 #2007년 나홍진 감독

47. 황해

"너 사람 하나 죽이고 오라. 엠지 갖고 와야 한다."

<황해>는 마치 영화 <추격자> 속편을 보는 듯 한 팽팽한 긴장감의 연속이다. 주인공 구남(하정우)은 중국 연변에서 한국으로 돈 벌러 떠난 후 소식 없는 아내를 찾기 위함과 면가(김윤석)로부터 살인 청부를 받고 실행하기 위해 한국으로 밀입국하는 배에 올랐다.

다행히 밀입국에 성공한 구남은 지금까지도 <황

해> 시그니처 장면으로 화제가 된 '김 먹방'을 제대로 선보인다. 살인 청부 임무를 수행하기 위해 노력하지만, 일은 뜻대로 되지 않고 아내도 찾지 못한다. 오히려 다른 사람이 살인하는 것을 목격하는 바람에 그에게 청부했던 사람으로부터 오히려 쫓기게 되는데, 그는 중국 조폭 조직 면가와 한국의 청부업자 태원(조성하) 양쪽으로부터 목숨 건 몰이를 당한다.

두 조직간 대결 싸움에서 지금껏 한국 영화에서 보지 못한 연변조직의 무지막지한 잔인한 장면을 보게 된다. 호텔을 급습한 '태원' 조직들은 '면가'의 반격에 한 명도 살아남지 못한다. 호텔에서 일어난 폭력씬의 리얼함은 무시무시한 장면을 연출한다. 이 지옥 같은 상황에서 '구남'은 사랑하는 아내를 찾아 무사히 고향 중국으로 다시 돌아갈 수 있을까?

<범죄도시 1>의 '장첸'보다 '면가'가 더 현실적이고 잔인한 폭력을 보이는 것 같기도 하다. 중국 폭력조직들이 한국에서 익명성이 보장된 상태에서 벌이는 잔인한 행동을 보는 자체로 무섭다. 연변 사람들이 다 그럴 것 같은 착각에 빠진다. 실제 영화 <범죄도시> 이후 서울 구로구 가리봉동 주민들이 항의했다고 하지 않는가?

어쩌면 <황해>에도 면가 조직과 태원 조직을 소탕

하기 위해선 <범죄도시> '마석도'가 출동해야 할 것 같다.

한국 밀입국이 종종 영화에 등장하는데, 가능하긴 한 사실인가 궁금하기도 한다. 영화 <해무>(2014)에서도 밀입국하는 사람들이 나오고 <헤어질 결심>(2021)에서도 '탕웨이'가 밀입국 배로 한국으로 들어왔다. 좁고 어두운 공간에서 아마도 그들은 한국을 '유토피아' 구원의 땅으로 상상할 것이다.

나홍진 감독은 <추격자>(2007) 이후 또 하나의 최고의 영화가 아닌가 싶다. 물론 <곡성>(2016)도 훌륭하지만, 결이 다르다.

조선족을 완벽히 연기한 김윤석 배우는 <타짜>(2006)에서 '아귀'란 캐릭터부터 그 존재감이 넘쳐난다. 더욱이 영화<미성년자>로 직접 감독으로 데뷔하기도 했지만, 개인적으로 그가 배우일 때가 더 멋진 것 같다. 마치 도시 남자 이미지를 담은 얼굴에 연기는 현실 생활 연기의 달인 '송강호'를 합쳐놓은 것 같은 느낌이다. 특히 사극 영화 <남한산성>에서는 이병헌과 그야말로 불꽃 튀는 대결을 펼친다. 불안한 조선 인조시대 병자호란을 당한 혼란스러운 시국에서 대신들의 무의미한 정치 논쟁은 오히려 배우들이 연기를 너무 잘해서 관객들도 같이 답답한 <남한산성>에 갇힌 느낌 이다.

"오늘은 그만들 물러가라."

-남한산성 中(인조(박해일))

#황해 #하정우 #김윤석 #곽도원 #2010년 나홍진 감독

48. 남한산성

'죽음은 견딜 수 없고, 치욕은 견딜 수 있다.'
'지독한 겨울을 견딘 자 만이 봄을 맞이할 수 있
다.'

1636년 병자호란이 일어났다. 인조가 국운이 다한
'명나라'를 따랐기 때문에 스스로 자초한 일이다.
인조와 조선 조정은 <남한산성>으로 급히 피신했
다. 최명길(이병헌)은 주화파 입장이고, 김상헌(김
윤석)은 척화파 입장이다. 인조는 정반대 의견을
제시하는 두 대신 앞에서 우유부단한 모습을 보인
다. 힘없는 나라의 임금이 보여주는 모습 그대로

를 볼 수 있다.

현재나 과거나 전쟁이란 일반 백성들의 삶만 힘들어진다. 병사 목숨을 귀하게 여기지 않는 조선시대. 장군조차 명을 어기면 즉결 참형했던 당시 백성은 그야말로 지옥의 생활을 견뎌야 했을 것이다.

최명길로 분한 이병헌은 후금과 화친을 주장하고 김상헌으로 분한 김윤석은 친명파로 목숨을 걸고 전쟁을 하자는 입장이다. 실리와 명분싸움이다.

현재 시각으로 영화<남한산성> 논쟁을 보고 있으면 대의명분(大義名分) 말싸움 논쟁에 답답하거나 오히려 분노를 일으킨다. 조선시대를 표현한 영화이니, 시대의 눈높이로 바라보자. 임진왜란 당시 우리를 도와주었던 '명나라'를 외면할 것인가? 기울어져 가는 명나라를 섬긴다는 대의명분에 기세가 오를 대로 오른 '후금'과 맞설 것인가? 인조반정으로 임금이 된 그는 사실 광해군의 조카이다. 역모에 몰려 집안이 풍비박산이 되었고 그 분노로 인해 기회를 엿보다가 인조반정으로 임금으로 추대 되었다. 도대체 임금이 될 이유가 하나 없는 제목도 아니었던 그는 위기의 형국에도 제대로 된 어떤 판단을 할 수 있었겠는가? 러시아 우크라이나 전쟁을 보아도 그로 인해 얼마나 국민이 고통 받는지 죽음을 당하는지 알 수 있다. 하루에 수백 명의 군인과 국민들이 사망하고, 공포에 휩싸인 전쟁 당사자 국민들.

하지만, 특권층은 전쟁에는 아랑곳없이 호의호식 하면서 잘 살고 있다. 러시아 부유층은 전쟁 통에 지중해에서 휴가를 즐기는 모습을 인스타그램에 업로드 할 지경이다. 오직 힘없는 서민들만 희생 될 뿐이다. 전쟁이란 것은.

'말이 굶어가니 병사가 먹을 식량을 말에게 주었 고, 그 말이 결국 죽어 나가니 말고기를 병사에게 먹인다.'

전쟁 통에 일어난 비극적인 아이러니다. 역사 영 화를 보면서 당시 시대 상황과 삶을 알 수 있고, 우리가 상상하지 못한 것들을 고증을 제대로 했다 면 엿볼 수 있다. 후금 병사들이 멀리 산꼭대기에 서 남한산성 내로 장거리포를 쏘는 장면은 영화를 보기 전에는 상상도 못했다. 조선은 무기나 병사 수 면에서 이미 후금의 상대가 아니었고 절대 이 길 수 없는 전쟁이었다.

황동혁 감독은 <도가니>(2011), <수상한 그녀> (2014)을 연출했다. 무엇보다 2022년 전 세계 넷 플릭스 시청자와 한국을 강타한 <오징어 게임>을 탄생시킨 분이다.

<남한산성>에서 우유부단한 인조였던 배우 '박해일'이 <최종병기 활>에선 '인조반정'때 몰락한 집안 자재로 출연한다. 청나라에 볼모로 붙잡혀가는 누이를 구하기 위해 조선 최고 활시위 실력을 보여준다.

"강을 건넌 이상 너희들은 더 이상 조선 백성이 아니다."

-최종병기 활 中

#남한산성 #이병헌 #김윤석 #박해일 #2017년 황동혁 감독

49. 최종병기 활

'바람은 계산하는 것이 아니라, 극복하는 것이다.'

영화 <남한산성>(2017)에서 청나라(후금) 공격으로 급하게 피난 간 조선 조정과 그 대신들을 보았다. <최종병기 활>은 1636년 병자호란 당시 일반 백성들의 비극을 그린다. 조선 최고 신궁 남이(박해일)는 인조반정으로 인해 집안이 몰락한 자녀다. 그리하여 다른 집에 얹혀사는 형편이지만 여동생

누이(문채원)과 함께 행복하게 사는 중이었다.

당시 청나라로 조선 백성 남녀 50만명이 끌려갔었던 불행한 시대였다. 몰락한 집안의 자녀와의 혼인을 반대한 집안과 동생 누이가 혼례를 올리던 날 어쩌면 가장 행복한 순간 청나라 병사 침략을 받아 강제로 누이가 납치되게 된다. 이 인질들 속에 '누이'를 반드시 구출해 내야 한다. 남이는 사랑하는 누이를 그냥 두고 볼 수가 없다.

오래전 <아포칼립토(Apocalypto, 2007)>란 멜깁슨 감독 영화를 본 적이 있다. 마야제국을 다룬 영화로 인신 공양 직전에 탈출에 성공하고 정글에서의 쫓고 쫓기는 추격전 씬이 어마 무시한 영화였다. 시작부터 엔딩까지 한순간도 눈을 떼지 못하고 숨을 참아야 하는 긴장감이 그야말로 최고의 영화였다. 마야 제국 문명 신과 왕의 경계가 없는 무자비한 잔인함에 잠시 눈을 감았지만, 아마존 정글에서 한 치의 오차 없이 덫을 이용한 상대방과 전투하는 장면은 <멜 깁슨>이란 이름값을 톡톡히 감독으로도 널리 기억되는 계기가 되었다.

<최종병기 활>을 보면서 <아포칼립토>가 자꾸 생각하는 건 나만 그런가? 도망치다가 '호랑이'를 만난 우연은 '치타'였던 그 영화와 너무 우연인가? <최종병기 활>을 보면서 쫄깃한 심장 쫄림을 느꼈다면, 그 엔도르핀이 사라지기 전에 <아포칼

립토>를 보시길 바란다. 더 한 긴장감과 스릴을 맛볼 수 있다.

영화 <남한산성>이 조선 왕조 정치권 실제적인 사건의 비극을 다루었다면, <최종병기 활>은 아마도 있을 법한 사건들에서 숨겨진 역사적 인물들을 다루었다. 인질로 끌려가던 누이와 백성도 구하고자 했지만, 그는 오히려 청나라 정예 부대의 쫓김을 받게 된다. 아슬아슬한 명장면들이 연출된다. 최고 신궁인 남이가 보여주는 '활'의 세계는 '활'로서는 더 이상 이보다 나은 영화를 만들지 못할 것 같은 수준이다.

김한민 감독은 고대 전쟁씬에서 특화된 영화를 잘 찍는것 같다. <명량>(2014), <한산:용의 출현>(2021), <노량:죽음의 바다>(2023)으로 이어지는 이순신 장군의 일대기를 다루는 대하 사극 전투 영화를 만든 감독이다. 어떤 분야에서 잘 하는 것을 잘 만드는 사람이 그 분야의 영화를 연출하는 것은 누구도 이기지 못한다. <최종병기 활>을 만든 김한민 감독이 그렇다. 2011년 제작한 영화라서 지금은 대형 배우로 성장한 조연 배우들이 군데군데 숨어있는 재미를 볼 수 있다. 물론 한국 영화에선 절대 빠질 수 없는 배우 '이경영'은 당연히 나올 것이고, 아직 신인 같았던 청나라 병사들 중에 배우 '조우진'도 있다.

'활'과 추격전에서 긴장감을 놓치지 않는 이 영화를 보고, 활에 대한 다른 영화가 궁금하다면, <안시성>을 보자. 성주 양만출이 당태종 이세민의 눈을 활시위를 힘껏 당겨 맞히는 장면을 볼 수 있다.

"토산을 빼앗을 때까지 절대 공격을 멈추지 않는다."

-안시성 中(당태종(박성웅))

#최종병기 활 #박해일 #류승룡 #2011년 김한민 감독

50. 안시성

"우리는 물러서는 법을 배우지 못했다."

4세기 한반도에는 고구려, 백제, 신라 일명 삼국 시대가 있었다. '신라'가 '당나라'와 연합하여 삼국을 통일하기 전까지 말이다. 물론 당나라와 힘을 합쳐 삼국을 통일했지만, 어쨌든 분열되었던 한반도가 드디어 하나가 되었다.

'역사(歷史)에 가정은 없지만, 만약 고구려가 삼국 통일을 이루었다면 만주까지 우리나라 영토일 것 인데 라는 아쉬움이 한가득하다.'

당나라의 영웅 '이세민'. 그가 나선 전쟁에서는 단 한 번도 패한 적이 없다는 신화 속 인물 같은 당 태종이 무려 20만 대군을 이끌고 고구려를 침공했 다. 평양성으로 향하는 진군 길에 작은 성들을 차 례차례 격파하고 마침내 안시성에서 성주 '양만 춘'(조인성)과 마주한다. 이후 목숨을 건 치열했던 3개월의 전투를 그린 영화가 <안시성>이다.
삼국시대 전투는 쉽게 표현하면 그냥 쪽수 대결 싸움이다. 20만 명대 3천 명의 싸움은 이미 승부 가 결정된 일일 것이다. 과연 안시성은 무사할 수 있을까?
당시 고구려는 연개소문이 쿠데타를 일으킨 상태 이고, 안시성 성주 '양만춘'은 연개소문을 따르지 않아 지원을 전혀 받을 수 없는 형편이었다.
하지만 명분 없는 전쟁에서 우린 결코 패배할 수 없다. 목숨을 걸고서라도 맞서 싸운다. 쪽수가 중 요하지 않다. 늘 강대국와 약소국의 전쟁은 질적 양적 물량대결로 이루어져 절대적으로 이길 수가 없다.

영화 후반부 장면에서 안시성 성주 '양만춘' 장군이 대궁(大弓) 활시위를 힘껏 당기는 장면은 숨죽이면서 보게 된다. 대궁은 고구려 주몽 외에는 당길 수 없다는 바로 그 활이다. 전투 기간 3개월 내내 밤낮으로 활시위를 당겼던 그는 쏘고 또 쏘고 더 이상 시위를 당길 힘이 남아있지도 않았지만, 자신의 병사들이 힘없이 쓰러지는 모습을 더 이상 두고 볼 수 없다. 말 그대로 젖 먹던 힘까지 끌어 모아 전쟁을 끝내고자 하는 간절한 마음으로 한껏 시위를 당겨 당태종 '이세민'을 결국 죽음으로 내몰게 된 한쪽 눈을 정확하게 맞히고 만다. 이후 당태종은 '절대로 다시는 고구려를 공격하지 말라.'는 유언을 남겼다고 하니, 당시 충격이 상당했던 모양이다.

영화 <안시성>을 보면서 성 외곽 전투 장면이 실제 역사적인 고증을 한 것인지 알 수는 없으나, 성을 공격하기 위해 벌이는 각종 공학적인 무기들을 보는 재미도 쏠쏠하다. 병사들의 백병전 맨몸 싸움도 삼국시대의 전투는 정말 저러했을 법하다. 안시성이 무너졌다면, 고구려가 당나라 부속국이 되었다면 지금 국경 지도가 달라졌을까?

영화를 보는 내내 한 가지 아쉬움이라면, 주인공역인 성주 '조인성'이 '좀 더 풍채가 있었다면 어땠을까?' 하는 상상을 해 보았다.

영화 <역도산>(2004)에서 설경구는 '역도산' 배역
을 위해 30kg을 증량했다고 한다. 영화 <내 사랑
내 곁에>(2009)에서 김명민은 루게릭 환자 역할을
위해 20kg을 감량했다고 한다.

항상 주인공은 멋지고 잘생기고 키 큰 배우들이
역할을 하다 보니 몰입감이 조금 떨어지기도 한
다. 소위 장군감 몸매가 아니지 않나 싶다.

김광식 감독은 생소한 분이다. 그의 필모그래피에
<내 깡패 같은 애인>(2010)을 보고선 아하 그 감
독. 박중훈과 정유미가 연기한 <내 깡패 같은 애
인>은 코믹하게 그린 순정 만화 같은 영화인 것으
로 기억한다.

삼국시대의 성주보다 '조인성'이 더 어울린다고 개
인적으로 생각한 영화는 바로 양아치 연기가 리얼
한 <비열한 거리>가 아닐까?

"여기가 나가고 싶으면 나가고, 들어오고 싶으면
들어오는 써클이야. 나가고 싶으면, 손가락 하나
내 놓고 나가."

　　　　　　　　　-비열한 거리 中(병두(조인성))

#안시성 #조인성 #설현 #박성웅 #2017년 김광식
감독

내러티브(Narrative) - 사건의 설명과 이야기. 특정한 시간과 장소에서 사건들이 전개구성되는 방법.

리부트(Reboot) - 어원은 부팅을 다시 하는 것이다. 시리즈로 만들어진 창작물을, 그 연속성을 단절시키고 원작의 기초 설정만 유지해서 처음부터 다시 새로 만드는 것을 리부트라 한다.

미장센 [mise en scène] - 무대에 오른 등장인물의 배치나 동작, 무대 장치, 조명 따위에 관한 총체적인 설계.

메타포(Metaphor) - 비유물인 표현으로 일상적인 아이디어나 사물을 이용하여 어려운 의도를 넘겨주는 방법. 메타포는 상징적이고 은유 표현으로 사용되고 독자에게 더 심오한 의도나 생각을 전달.

심볼(Symbol) - 특정한 상징을 통하여 의도를 넘겨주는 방법. 주로 시각적인 요소로 사용.

스토리(Story) - 영화나 소설의 내용 전체. 스토리는 플롯보다 개괄적이고 시간적인 동향 속에서 발생한 사건들의 내용을 포함.

스핀오프(spin-off) - 미디어 용어로 한국어로는 파생작 또는 번외작이라고 한다. 작자가 원작자인 경우도 있고 작자가 다른 스핀오프 작품도 있다.

오마주 [hommage] - 다른 작가나 감독에 대한 존경의 표시로 특정 대사나 장면 등을 인용하는 일.

알레고리(Allegory) - 은유 표현으로 현실의 사물이나 현황을 통하여 다른 의도를 암시하는 방법. 주로 사회나 정권적인 문제점을 비판하기 위해 사용.

클리셰(cliché) - 본래 인쇄 연판(鉛版)을 뜻하는 프랑스어 어휘로, 지겹고 예측 가능한 뻔한 설정, 표현, 상황, 또는 상태를 가리킨다.

플롯(Plot) - 영화나 소설의 이야기 구조. 사건들이 어떠한 식으로 전개되고 연결되는지를 나타내며 주인공의 목표 갈등 전개 해결 등을 포함

페르소나[Persona] - 이성과 의지를 가지고 자유로그리스 어원의 '가면'을 나타내는 말로 '외적 인격' 또는 '가면을 쓴 인격'을 뜻한다. 스위스의 심리학자이자 정신과 의사인 칼 구스타프 융(Carl Gustav Jung)은 사람의 마음은 의식과 무의식으로 이루어지며 여기서 그림자와 같은 페르소나는 무의식의 열등한 인격이며 자아의 어두운 면이라고 말했다. 자아가 겉으로 드러난 의식의

영역을 통해 외부 세계와 관계를 맺으면서 내면 세계와 소통하는 주체라면 페르소나는 일종의 가면으로 집단 사회의 행동 규범 또는 역할을 수행한다. 하지만 영화에서 페르소나는 종종 영화감독 자신의 분신이자 특정한 상징을 표현하는 배우를 지칭한다.

도서명 **기억에 남는 한국 영화 50선**

발　행 | 2024년 6월 7일
저　자 | 정재욱
펴낸이 | 한건희
펴낸곳 | 주식회사 부크크
출판사등록 | 2014.07.15.(제2014-16호)
주　소 | 서울특별시 금천구 가산디지털1로 119
SK트윈타워 A동 305호
전　화 | 1670-8316
이메일 | info@bookk.co.kr
저자 이메일 | ithing21@hanmail.net
ISBN | 979-11-410-8848-4

www.bookk.co.kr